Aida bis Zau

55 populäre Opern auf den Punkt gebracht

Von Dorle Knapp-Klatsch

Hätten Sie's gewusst?

Wie heißt Aidas Rivalin um die Gunst des Kriegshelden Radames? Vor was ist der „Fliegende Holländer" in Wagners-Oper auf der Flucht? Warum und von welcher Hand muss Carmen sterben? Und welches so moderne Phänomen sorgt im „Freischütz" dafür, dass der junge Held sein Ziel verfehlt?

Schwerpunkt Opernhandlung

Wir alle lieben Opern, die Arien, die Chöre, die unvergesslichen Melodien. Doch so wichtig die Musik, so unverzichtbar der Inhalt. Erst durch das Wissen um Konflikte, Dramen und Eitelkeiten der Schlüsselfiguren wird die Musik zur Oper, erst durch den Einblick in das Geschehen werden Stimmen zu Emotionen.

Über die Autorin:

Locker und humorvoll im Ton, akkurat und kenntnisreich in der Sache stellt die Journalistin und Musikliebhaberin Dorle Knapp-Klatsch 55 der populärsten Opern aus drei Jahrhunderten vor. Komponist, Librettist, Handlung, Besetzung, Informationen zur Uraufführung, Anekdoten, kurz: Alles, was man über „Aida", „Cosi fan tutti" oder „Die Meistersinger von Nürnberg" auf die Schnelle wissen muss. Damit Sie nie mehr Ihre Platznachbarn fragen müssen …

Aida bis Zauberflöte

55 populäre Opern auf den Punkt gebracht
Ein Opernführer für Anfänger und Liebhaber

von Dorle Knapp-Klatsch

Kulturmagazin 8ung.info

Impressum

„Aida bis Zauberflöte“ ist auch als E-Book und im Großdruck erschienen
Originalausgabe

Lektorat: text & geschick, Wiesbaden
Umschlaggestaltung: Nuria Tarrin Konzept + Gestaltung
Umschlagmotiv: Dorle Knapp-Klatsch
Satz: Herstellung und Verlag: BoD – Books on Demand, Norderstedt

2. Auflage, 2023
ISBN 978-3-756890927

Inhaltsverzeichnis

Komponisten und ihre Opern

Es gibt beliebte Opern, die eigentlich immer auf dem Spielplan stehen. Nachdem jahrzehntelang Mozarts **Zauberflöte** in Führung lag, hat sich das die letzten Jahre ein kleines bißchen verschoben.

Aus naheliegenden Gründen kann man diese Opern auch als die ABC-Waffen der deutschsprachigen E-Musik bezeichnen, wobei damit nichts über Qualität, Sprache und den Taschentuchfaktor gesagt sein soll. Zu diesen Evergreens, die fast in jeder Spielzeit auf den Spielplan kommen, gehören:

A → Aida
B → Boheme / Barbier / Butterfly
C → Carmen

Mark André (*1964) lässt seine Oper **Wunderzaichen** im Flughafen Ben Gurion in Israel spielen. Unter Reisenden aus aller Herren Länder hält sich auch Johannes auf, der kluge Gedanken von Dichtern, Denkern und aus der Bibel zitiert. Eigentlich sollte er schon seit Jahrhunderten tot sein.

Béla Bartók (1881-1945) verarbeitet in seiner Oper **Herzog Blaubarts Burg** eine ungarische Sage aus dem 17. Jahrhundert, nach der Herzog Blaubart seine sieben Ehefrauen allesamt ermordete. In Bartóks Oper zeigt er seiner eben angetrauten vierten Ehefrau seine Burg.

Ludwig van Beethoven (1770-1827) komponiert seine Oper **Fidelio** nach einer wahren Begebenheit. Seit mehr als 200 Jahren steht sie als „Rettungs- und Befreiungsoper“ immer wieder auf dem Spielplan. Je nach politischer Lage kann das Publikum sich für die „Guten“ oder die „Bösen“ entscheiden.

Vincenzo Bellini (1801-1835) zieht es nach Gallien – lange vor Asterix. Seine Oper um die Priesterin **Norma** spielt nämlich in vorchristlicher Zeit. Keiner darf wissen, dass der Vater ihrer beiden Kinder ein feindlicher römischer Feldherr ist. In der Oper **La Sonnambula/Die Nachtwandlerin** beschreibt Bellini die neu entdeckte Krankheit am Beispiel einer Verlobten, die sich zu einem fremden Mann ins Bett legt – natürlich unverschuldet!

Alban Berg (1885-1935) gilt als Vertreter der musikalischen Moderne. Nicht Grafen oder Götter stehen im Mittelpunkt der Oper **Wozzeck**, sondern ein ganz gemeiner Soldatenknecht, der von seiner Umgebung als Fußabstreifer genutzt wird. Das rächt sich!

Hector Berlioz (1803-1869) begeistert sich für Goethes „Faust“, schreibt ein Libretto und vertont **La damnation de Faust/Fausts Verdammnis**. Nicht nur die Betrunkenen in Auerbachs Keller setzt er in Musik um. Um den Rákóczi-Marsch unterzubringen, verlegt er den ersten Teil seiner Oper in die ungarische Puszta.

Georges Bizet (1838-1875) macht mit seiner Oper die emanzipierte **Carmen** unsterblich, trotz des fatalen Endes.

Die unabhängige Zigeunerin liebt ihre Freiheit – einen Mann liebt sie, solange er ihre Freiheit nicht einschränkt.

Chaya Czernowin (*1957) komponierte mit **Pnima** eine Oper ohne Worte, die die Folgen des Holocausts darstellen soll. Die Oper Stuttgart brachte diese Oper erstmals 2011 auf die Bühne.

Edison Denisov (1929-1996), der russische Komponist mit einer Vorliebe für Bläser, Schlagzeug und Duke Ellington, verfasste selbst das Libretto zu **Schaum der Tage** nach dem Roman von Boris Vian. In dieser Oper geht es hauptsächlich um die Liebesgeschichte von Colin und Chloé.

Christoph Willibald Gluck (1714-1787) schaffte es, seine Oper **Orpheus und Eurydike** auch als Handlungsballett durchgehen zu lassen, je nach Regisseur oder Choreograf. Zu Herzen geht die Geschichte von dem besten Sänger aller Zeiten, der seine Frau aus der Unterwelt zurückholen will. Doch hat er die Rechnung ohne seine Eurydike gemacht.

Georg Friedrich Händel (1685-1759) weiß, was sein Publikum liebt – Dramen der griechischen Sagenwelt. In der Oper **Teseo** legt sich der Held mit Medea an, die Bosheit in Person. Er will sie partout nicht heiraten. Wer kann es ihm verdenken? In der Oper geht es, mit diversen Balletteinlagen, freier zu. Die Nymphomanin Alcina setzt sich mit einem einfachen Trick selbst außer Gefecht – sie verliebt sich.

Ruedi Häusermann (*1948) komponierte in seiner Oper **Randolph's Erben** die Geräusche, Klänge und Töne, die in einem Musikinstrumentenladen mit angeschlossener Werkstatt im Laufe eines Tages zu hören sind. Gespielt von einem Streichquartett, einem Bläserquartett und poetisch umgesetzt in der Oper Stuttgart.

Joseph Haydn (1732-1809) lässt in seiner Gaunerkomödie **Il mondo della luna/Die Welt auf dem Monde** lange vor Neil Armstrong den Mond entdecken.

Leoš Janácek (1854-1928), der große Frauenversteher, setzt in seiner Oper **Schicksal/Osud** einer ledigen Mutter ein Denkmal. Als sie tödlich verunglückt, ist es mit dem kompositorischen Schaffen ihres Lebensgefährten vorbei. Auch **Katja Kabanova** überlebt die Oper nicht. Sie zieht ihrem Muttersöhnchen von Ehemann und dem nicht minder versklavten Geliebten den Gang in die Wolga vor.

Wolfgang Amadeus Mozart (1756-1791), das musikalische Wunderkind, fing früh an zu komponieren. Seine Todes-Sehnsuchts-Oper komponierte er im Alter von siebzehn Jahren, anscheinend mitten in seiner Gruftie-Phase. 80 Prozent der Hauptdarsteller überleben dieses Singspiel nicht. In der Oper **Idomeneo** schwört König Idomeneo, den erstbesten Menschen, der ihm begegnet, dem Gott Neptun als Opfer darzubringen – dummerweise läuft ihm als Erster sein Sohn über den Weg. In der Oper **Die Hochzeit des Figaro** trickst der Diener Figaro vor seiner Hochzeit den wollüstigen Grafen Almaviva aus, der auf dem „Recht der ersten Nacht" besteht.

In **Don Giovanni** bekommt der brünstige Held die gerechte Strafe für sein triebgesteuertes Lotterleben. In der Oper **Cosi fan tutte/So machen's alle** findet ein reger Partnertausch statt, weil zwei verliebte Männer die Treue ihrer Verlobten testen wollen – sagen sie. **Die Zauberflöte** gehört weltweit zu den meistgespielten Opern. Schon zu Mozarts Zeiten, bei der Uraufführung, bezaubert die Oper mit den aufwendigsten Bühnenbildern und kostbarsten Kostümen.

Modest Mussorgski (1839-1881), der russische Patriot. In seiner Oper **Die Sache Chowanschtschina** liefern sich machtgierige Fürsten und religiöse Weltverbesserer blutige Schlachten.

Prokofjew komponierte die Oper im Auftrag der Chicago Opera Company. Sie traf genau den amerikanischen Geschmack – bunt, fantasiereich, schwungvoll. Mitreißend ist vor allem der legendäre Marsch aus dem zweiten Satz.

Giacomo Puccini (1858-1924) beschert uns in der Oper **La Bohème** wohl eine der ergreifendsten und längsten Sterbeszenen, für die in jeder Variante Taschentücher bereitliegen sollten. Aufwühlende Musik kombiniert mit zu Herzen gehenden Bildern. Wenn da am Ende noch ein Auge trocken bleibt, ist mit der Inszenierung etwas schiefgelaufen. Fast freiwillig dagegen springt **Tosca** in den Tod. Vorher ersticht sie ihren gehassten Scarpia und beaufsichtigt die Erschießung ihres geliebten Cavaradossi – die Handlung lief nicht ganz nach ihrem Plan. Auch **Madama Butterfly** überlebt die Oper nicht, dafür aber die anderen Hauptpersonen.

Maurice Ravel (1875-1937) lässt ein Kind mit antiautoritären Verhaltensweisen in seiner Oper **L'Enfant et les Sortilèges/Das Kind und die Zauberdinge** von aufgebrachten Spielzeugen und gequälten Tieren in die Ecke treiben. Eine lebende Spielwelt erweist sich als wirkungsvolle Erziehungsmaßnahme.

Gioachino Rossini (1792-1868) landete mit seinem **Barbier von Sevilla** einen Volltreffer, der bis zum heutigen Tage für ausverkaufte Opernhäuser sorgt, schon wegen der berühmten Schnellsprech- und Zungenverdreher-Arie: „Figaro hier, Figaro da …“ (auf diese Arie warten Opernbesucher in Mozarts **Hochzeit des Figaro** vergeblich). Die ewige Sehnsucht nach dem Prinzen fasst Rossini in der Oper **La Cenerentola/Aschenputtel** in Musik.

Arnold Schönberg (1874-1951) gilt wie Alban Berg als ein Wegbereiter der Moderne. Seine 20-Minuten-Oper hielt er selbst für unaufführbar. Einer Verfilmung hätte er zugestimmt unter der Bedingung: „An der Musik wird nichts geändert!“ Schönberg bezeichnete dieses Werk als „ein Drama der gestörten Liebesbeziehung” – einen Traum.

Johann Strauss (1825-1899), der Walzerkönig, machte sich unsterblich mit seiner Operette **Die Fledermaus**. Ein MUSS an Silvester ist diese Verwechslungskomödie um Eisenstein, seine Gattin Rosalinde, deren Zofe Adele, Hausfreund Tenor Alfred, Doktor Falke …

Richard Strauss (1864-1949) nimmt mit seiner komischen Oper **Der Rosenkavalier** den alten Adel mit seinen extravaganten Moralvorstellungen und Dünkeln, seinen Geldnöten sowie die neureichen Dazugehörenwoller auf die Schippe. Berühmt ist der Showdown im Wirtshaus. Die Oper **Ariadne auf Naxos** war zunächst ein Flop. Erst als Richard Strauss noch ein erklärendes Vorspiel spendierte, wurde sie zum Top. Kurzen Prozess macht **Salome** mit Männern, die sie nicht beachten – nämlich einen Kopf kürzer.

Xaver Paul Thoma (1953*) verfolgt in seiner Oper **„Draußen vor der Tür"** die Spur eines Soldaten, der drei Jahre nach dem Krieg aus der Gefangenschaft in seine Heimat zurückkommt. Ein Verlierer, der keinen Fuß in die Tür bekommt.

Pjotr Iljitsch Tschaikowski (1840-1893), privat das Gegenteil eines Männerfeindes, zeigt in seiner romantischen Oper **Eugen Onegin** die Wandlung vom arroganten Pomadenhengst zum depressiven Alkoholiker. Erst weist er eine schüchterne Frau ab. Als sie sich zum schönen Schwan mausert, wird er von ihr abgewiesen – tja, so ist das Leben.

Giuseppe Verdi (1813-1901), Komponist der großen Gefühle. **Luisa Miller**, die arme Müllertochter, tut alles, um sowohl ihren adligen Geliebten als auch ihren Vater glücklich zu sehen, aber die Intriganten sind stärker. Den beiden Liebenden bleibt am Ende nur das Gift für einen gemeinsamen Tod. Auch **La Traviata**, die schöne Kurtisane, in die sich ein junger Mann der besseren Gesellschaft verliebt, stirbt am Ende an der Schwindsucht.

Zu spät kommt der Vater, der dem ungleichen Paar doch noch seinen Segen geben wollte. Wohl fast jeder Radio-Wunschkonzert-Hörer kennt den Gefangenenchor aus der Oper **Nabucco**. Ebenfalls in Gefangenschaft befindet sich **Aida**, die außerdem noch in eine Dreiecksbeziehung verstrickt ist. Weil drei eine Person zu viel ist für ein Liebespaar. Verdis letztes großes Werk ist eine Komödie, in der vorgeführt wird, wie **Falstaff** - ein Mann in den Wechseljahren - von Frauen an der Nase herumgeführt wird, obwohl er sich für ausgesprochen attraktiv hält.

Ludger Vollmer (*1961) vertont die Geschichte des Films zu einer Oper. Eine junge Türkin versucht, sich aus den traditionellen Familienbanden zu befreien und ihren eigenen Weg zu gehen. Dabei verwechselt sie Emanzipation mit dem Rausch durch Opium, Sex und Alkohol.

Richard Wagner (1813-1883) war die meiste Zeit seines Lebens auf der Flucht – fast immer vor seinen Gläubigern. **Der Fliegende Holländer** ist ebenfalls auf der Flucht – seit Jahrtausenden - und sehnt sich nach Ruhe, die ihm nur ein liebendes Weib(!) geben kann – bisher vergebens. Den **Tannhäuser** versetzte Wagner ins Hochadelsmilieu. Die Oper stellt die Grundlage dar für eine Aufführung mit luxuriösen Kostümen aus Samt und Seide, entworfen nach Wagners Vorstellungen. **Lohengrin**, den Schwanenritter, darf niemand nach seinem Namen fragen; nicht einmal Elsa, seine Frau. Wer die weibliche Psyche kennt, weiß schon – ohne die Oper zu kennen – dass das schiefgehen wird.

In den **Meistersingern von Nürnberg** rechnet Wagner mit denjenigen ab, die sich in der Kunst an verkrustete Regeln halten wie der pedantische Beckmesser. **Tristan und Isolde** galt lange Zeit als unaufführbar. In der Viereinhalb-Stunden-Oper erzählen sich Tristan und Isolde gegenseitig, was vorher war, was wäre, wenn sie sich anders verhalten hätten und was sein würde, wenn, ja wenn … Der **Ring des Nibelungen** beginnt mit dem , in dem die Vorgeschichte der germanischen Götter erzählt wird, die wegen ihres Neubaus in Geldnot geraten. Die **Walküre** enthält als Höhepunkt den Ritt der kriegerischen Schwestern. **Siegfried** zeigt den Lebensweg des jugendlichen Helden von der Pubertät bis zum ersten Verliebtsein auf, und in der verschwindet am Ende die ganze schöne Götterwelt im Rhein, allen voran Brünhilde und ihr Ross Grane. **Parsifal** war das letzte Werk von Richard Wagner. Ein Ritterdrama, dessen Vorgeschichte fast so lang ist wie die Oper.

Carl Maria von Weber (1786-1826) komponierte DIE DEUTSCHE OPER, den **Freischütz**. Abgesehen von den Hochzeitsvorbereitungen im Forsthaus und dem Schützenfest spielt das Spektakel zum größten Teil im Wald. Bis heute ist sie der Star unter den Freiluftaufführungen im Sommer – im Dunkeln zwischen spitzen Felsen, raschelnden Blättern an den Bäumen, Käuzchenschreie im Hintergrund, eventuell noch leichter Nieselregen. Wo ließe sich besser die schwarze Magie der Wolfsschlucht verwirklichen, die auch mutigen Zeitgenossen einen Schauer über den Rücken laufen lässt?

Aida – Giuseppe Verdi

Ausführliche Opernhandlung von Aida, Geschichte einer verschmähten Liebe - nacherzählt mit viel Sympathie für die Opfer unglücklicher Liebe. Die Rache einer Zurückgewiesenen - nicht Geliebten - an ihrer Rivalin und ihrem immer noch Geliebten.

Erster Aufzug

Radames hofft, von der Göttin als Feldherr auserkoren zu werden, um die Äthiopier zu besiegen. *Amneris* versucht ihm das Versprechen zu entlocken, dass er den Sieg für sie erringen und ihr zu Füßen liegen wird. An seinen heißen Blicken zu *Aida*, ihrer Sklavin, erkennt sie ihren Irrtum. Sofort geht sie über zu einer strategischen Kriegsführung. Sie versucht aus *Aida* herauszukitzeln, warum sie so traurig ist. Obwohl *Amneris* innerlich kocht, lässt sie sich aber nichts anmerken.

Der *König von Ägypten* tritt mit seinem Tross auf und verkündet, dass die Äthiopier es wagen, Ägypten anzugreifen, und zwar mit dem unbesiegbaren *Amonasro* an der Spitze. Alle erschrecken, besonders *Aida*, denn *Amonasro* ist ihr Vater. Der König beruft *Radames* als Feldherrn. Ihm trauen alle Anwesenden zu, den Krieg zu gewinnen. *Amneris* überreicht ihm eine Fahne und wünscht ihm: „Als Sieger kehre heim."

Aida ist gespalten. Sie liebt ihre Heimat und möchte wieder frei leben. Sie liebt *Radames* und wünscht ihm einen Sieg, aber nicht über ihr Volk und über ihren Vater.

Es folgt eine religiöse Zeremonie im Tempel von Memphis. Priester und Priesterinnen singen und tanzen und wünschen den Sieg. Kostümbildner und Choreografen lassen ihrer Fantasie freien Lauf. Sie zeigen ihr Können, das nur vom Finanzvolumen gestoppt wird.

Zweiter Aufzug

Amneris wird von ihren Sklavinnen während der Zeremonie schön gemacht. Diese Zeremonie soll dazu dienen, den heimkehrenden *Radames* zu ihr zu locken. *Aida* bringt ihr die Krone. Dabei schleicht sich *Amneris* in *Aidas* Psyche. Sie leide mit ihrem Schmerz, da *Aida* ja durch den voraussichtlichen Sieg Ihr Land und Volk für immer verlöre. Dann fragt *Amneris* beiläufig, ob sie da noch anderer Schmerz plagt, eventuell Liebeskummer.

Als *Aida* nicht sofort reagiert, streut sie das Gerücht, dass *Radames* im Krieg gefallen ist. An *Aidas* Erschrecken merkt sie, dass die beiden ineinander verliebt sind. Sofort schiebt sie hinterher, dass es sich wohl um eine Falschmeldung handelt und der hehre Krieger noch lebt. Schon strahlt *Aida*. Das macht *Amneris* derart eifersüchtig, dass sie ihre Verstellung aufgibt und *Aida* über ihre Liebe zu *Radames* aufklärt. Von jetzt an sind sie also Rivalinnen um seine Gunst. Der Zickenkrieg zwischen den beiden Königstöchtern ist hiermit eröffnet.

Beide kennen sich in psychologischer Kriegsführung aus. *Aida* ist so klug, sich erst einmal *Amneris* zu Füßen zu werfen.

Radames hat gesiegt, das Volk feiert ausgiebig mit Gesang, Tanz, Aufmärschen. Der König begrüßt *Radames, Amneris* bringt ihm den Siegerkranz, er darf sich etwas wünschen.

Amonasro, der besiegte König der Äthiopier, wird hereingeführt und sofort von seiner Tochter *Aida* umarmt. Sie haben also den Richtigen geschnappt. Obwohl *Amonasro* behauptet, nicht der König, sondern nur ein Gesandter zu sein, beschließen die Priester, ihn dazubehalten. Sie wollen ihn jetzt noch nicht töten. Denn wenn sowohl der tapfere König als auch seine Tochter bei ihnen in Geiselhaft leben, fehlt den Äthiopiern die Spitze. Sie nennen es Friedenspfand.

„Die Stunde der Rache naht“, flüstert *Amonasro* seiner Tochter *Aida* zu. „Wir sind bald wieder frei.“ *Amneris* hat beide beobachtet. *Aida*, die Glückliche, die ihren Vater wiedergefunden hat. Und *Radames*, der mit *Aida* leidet. *Amneris* kocht vor Wut. Innerlich.

(Ein Erlebnis mit einer guten Schauspielerin und Sängerin).

Dritter Aufzug

Während *Amneris* und der König die Hilfe der Götter für die baldige Hochzeit erflehen, besingt *Aida* ihre Zweifel. Sie liebt ihr Vaterland, sie liebt ihren Vater, aber sie liebt auch - und das verzweifelt – *Radames*. Sie beweint ihr Schicksal, das sie für aussichtslos hält, als ihr Vater plötzlich vor ihr auftaucht. Er erkennt auf den ersten Blick, dass *Radames* seine Tochter anhimmelt und umgekehrt. *Aida* beklagt tränenreich, dass ihre Liebe nicht in Erfüllung gehen wird. Der Vater ist ebenfalls König in Sachen Motivation und psychologischer Kriegsführung. Er prophezeit ihr, dass sie zusammen mit *Radames* nach Äthiopien fliehen und dort ein gemeinsames Königreich aufbauen werden. *Aida* ist noch nicht ganz überzeugt.

Amonasro erklimmt die erste Stufe. Er prophezeit, wie die Ägypter die Städte der Äthiopier verbrennen, Frauen und Kinder töten und als Sklaven verschleppen werden. Da *Aida* ihrem geliebten *Radames* diese Flucht und den Verrat an seinem Volk trotzdem nicht antun will, erhöht *Amonasro* den Druck. Sollte sie *Radames* nicht überreden, zu den Äthiopiern überzulaufen, würden sowohl er als auch ihre Mutter sie nicht mehr als ihr Kind anerkennen. Sie wäre auf ewig die Sklavin der Ägypter. Das überzeugt *Aida*. Trotzdem versteckt sich *Amonasro*, um dem Dialog zwischen *Aida* und *Radames* zu lauschen.

Beide stecken in einem Dilemma, das nicht auflösbar erscheint: Sie fühlen sich ihrem Volk verpflichtet, und sie fühlen auch, dass sie füreinander bestimmt sind. *Aida* schlägt *Radames* vor, mit ihr nach Äthiopien zu fliehen, da ihn hier das Schicksal aller Verräter erwartet, nämlich der Tod. Auch *Aida* malt - genau wie ihr Vater - Horrorszenarien und großes Drama an die Wand, bis *Radames* über den Schatten seiner Ehre hinweg springen kann. Er nennt ihr eine geheime Stelle, die nicht bewacht ist. Das hören sowohl *Aidas* Vater als auch *Amneris* und die Priester, die gerade - welch Zufall - aus dem Tempel kommen.

Vierter Aufzug

Amneris singt ihr Klagelied: „Entflohn ist die Rivalin, die Verhasste …“ Sie liebt *Radames* noch immer und möchte ihn befreien. Sie fleht sowohl ihren Vater als auch die Priester an, ihn am Leben zu lassen und sie mit *Radames* zu verheiraten.

Sie lässt den Geliebten zu sich kommen und stellt ihn vor zwei Alternativen. Entweder er schwört, nie wieder an *Aida* zu denken und *Amneris* zu heiraten, oder er stirbt den Tod, den die Priester für ihn vorgesehen haben. *Radames* wählt den Tod. Alles ist besser als das, was *Amneris* ihm verspricht.

Doch *Amneris* gibt so schnell nicht auf. Sie fleht die Priester und ihren Vater an, *Radames* zu begnadigen. Die denken allerdings gar nicht daran. Sie befragen ihn, ob er sich für schuldig hält. (Der tiefe Bass des Königs: „*Radames! Radames!*“ hallt noch im Ohr, wenn die Oper vorbei ist.) Er fühlt sich nicht schuldig, weil er dem Ruf der Liebe folgte. Also lautet das Urteil: „Lebendig in einer Gruft begraben.“ *Amneris* verflucht sowohl ihren Vater als auch die Priester.

Radames kommt in die Gruft, die Grabplatte schließt sich: „Es hat der Stein sich über mir geschlossen." Und was sieht er? *Aida!* Sie hat sich vorher hier eingeschlichen, weil sie dieses Urteil erwartet hat. So sterben beide gemeinsam. Nicht so ganz, denn *Amneris* wirft sich an der anderen Seite der Gruft auf den Stein. Jeder Lebensmut hat sie verlassen. Gemeinsam singen alle drei das letzte Finale: „Ahnend im Herzen, dass man die verdamme ..."

Fazit: Ein Drama, bei dem es nur Verlierer gibt.

Aida und *Radames* verlieren ihr Leben, *Amneris* ihr Vertrauen in die Zukunft, der König seine Tochter, das Volk der Ägypter ihren Feldherrn. Was bleibt? Ein überwältigender Eindruck der Musik und viele Ohrwürmer.

Aida, Oper in vier Akten von Giuseppe Verdi mit dem Libretto von Antonio Ghislanzoni.

Die Oper spielt zur Zeit der Herrschaft der Pharaonen in Memphis und Theben. Die Spieldauer beträgt drei Stunden.

Verdi erhielt den Auftrag für eine Oper „in ausschließlich ägyptischem Stil" vom regierenden Khediven Ismail Pascha von Ägypten. Sie sollte 1869 am Festakt zur Eröffnung des Suezkanals uraufgeführt werden. Verdi lehnte mehrmals ab. Selbst als das nicht mehr fruchtete, forderte er als Honorar für die Komposition astronomische 150.000 Goldfranken, und ... bekam sie. Ebenso einige kostspielige Extras. Die Bühnenausstattung und Kostüme wurden in Pariser Werkstätten gemeistert.

Eigens für den Triumphmarsch wurden Trompeten angefertigt, die als „Aida-Trompeten“ in die Musikgeschichte eingingen.

Die Oper Aida konnte erst ein Jahr nach ihrer Fertigstellung, am 24. Dezember 1871, in Kairo im Khedivial-Opernhaus uraufgeführt werden, weil Requisiten und Kostüme in Paris festsaßen. Die Stadt war unter preußischer Belagerung eingeschlossen.

Personen:

Der ägyptische König (Bass), *Amneris*, seine Tochter (Mezzosopran), *Aida*, äthiopische Königstochter, Sklavin am ägyptischen Königshof (Sopran), *Radames*, ägyptischer Feldherr (Tenor), *Ramfis*, Oberpriester (Bass), *Amonasro*, König von Äthiopien, Vater Aidas (Bariton)

Oberpriesterin (Sopran), *ein Bote* (Tenor), *ein Offizier* (stumme Rolle), *Priester, Priesterinnen, Minister, Hauptleute, Soldaten, Sklaven, Gefangene, Volk* (Chor)

Alcina – Georg Friedrich Händel

Die Oper geht zurück auf eine Geschichte der griechischen Mythologie, in der die Göttin Alcina Männer verzaubert. Dabei begeht sie einen riesigen Fehler, der ihr bei ihrer Erfahrung eigentlich nicht unterlaufen dürfte.

Erster Akt – Ankunft und Verwechslungen auf Alcinas Zauberinsel

Alcina lebt auf einer bezaubernden Insel in einem viel befahrenen Meer. Sie ist selten allein, denn oft stranden Schiffe an ihren Ufern. Die männlichen Seeleute verfallen sofort ihren Reizen und sind damit schon ihrem Untergang geweiht. Denn sobald *Alcina* ihrer überdrüssig wird, verzaubert sie die ahnungslosen Männer in Blumen oder Tiere und wendet sich dem nächsten Liebhaber zu. Auf diese Weise verwandelt sich ihr Eiland in ein Paradies, was wiederum andere Seefahrer anlockt. (Von dieser Art der Liebhaber-Entsorgung können die Kameliendamen nur träumen. Sie müssen sich ihre Blumen für teures Geld kaufen und werden ihre abgelegten Affären manchmal nur schwer los.)

Aber *Alcina* unterläuft ein folgenschwerer Fehler. Denn sie verliebt sich in *Ruggiero*, und der hat wie alle anderen nur noch Augen für *Alcina*. Seine Braut *Bradamante* hat er darüber vollkommen vergessen.

Umgekehrt aber nicht, denn *Bradamante* reist ihm in den Kleidern ihres Zwillingsbruders *Ricciardo* nach, um ihn wieder zurückzuholen.

Das gleiche Ziel verfolgt auch ihr Begleiter *Melisso*, denn er braucht den tapferen Helden *Ruggiero*, um einen Krieg zu gewinnen.

Auf der Insel begegnen sie zuerst *Alcinas* Schwester *Morgana*, die sich sofort in den schönen *Ricciardo/Bradamante* verliebt. Die/der muss mit ansehen, wie ihr Verlobter *Ruggiero* mit *Alcina* herumturtelt. Selbst als sie/er sich ihm in einem ruhigen Moment zu erkennen gibt, will *Ruggiero* nichts von ihr wissen und hält *Bradamante* für ihren Zwillingsbruder. Es tröstet sie nicht, dass *Morgana* ganz wild nach ihr/ihm ist, denn deren Verlobter *Oronte* lässt seine Eifersucht an *Ruggiero* aus. Er macht ihm weis, dass *Alcina* sich in *Ricciardo* verliebt hat. Es würde ihm wohl bald so ergehen wie den anderen Männern – er wird verzaubert werden. Das zwingt *Ruggiero* zum Handeln. Er verlangt von *Alcina*, dass sie, um ihm ihre Liebe zu beweisen, *Ricciardo* in ein Tier verwandelt. Hier greift *Alcinas* Schwester *Morgana* ein, denn sie findet *Bradamante/Ricciardo* reizvoller als *Oronte*, ihren langweiligen Verlobten.

Zweiter Akt – Entzauberung, aber noch kein Ende in Sicht

Melisso steckt *Ruggiero* einen Ring an den Finger, der *Alcinas* Zauberbann bricht. Gleichzeitig putzt er ihn nach allen Regeln eines Despoten herunter und befiehlt ihm, sofort für ihn in den Krieg zu ziehen. Außerdem soll er sich bitte schön mit *Bradamante* versöhnen. Hätte *Ruggiero* ja gern gemacht, aber *Bradamante* begehrt ihn – kein Wunder nach der Abfuhr – nicht länger. Trotzdem bereiten sich alle auf die Flucht vor. Der eifersüchtige *Oronte* bemerkt es und petzt.

Alcina ist wütend und plant, die ganze treulose Gesellschaft in Tiere und Blumen zur Dekoration ihres Gartens zu verwandeln – aber es geht nicht mehr. Weil sie sich in *Ruggiero* verliebt hat, sind ihr zur Strafe ihre Zauberkräfte abhandengekommen.

Dritter Akt – alles kehrt zurück in seinen Lauf.

Morgana erkennt die wahre Identität des schönen Jünglings und hält sich lieber an ihren *Oronte* – besser einen langweiligen Liebhaber als gar keinen. Der ziert sich zwar noch etwas, aber aus demselben Grund versöhnt er sich wieder mit *Morgana*. Wie sich später zeigen wird, war das gar nicht nötig.

Alcina will *Ruggiero* auf der Insel halten, der aber sucht mit *Bradamante* das Weite. *Melisso* teilt *Ruggiero* mit, dass die Zauberinsel von bewaffneten Truppen umzingelt ist, worauf *Ruggiero* das Kommando übernimmt und *Alcina* besiegt. Sie versucht noch, ihn zur Umkehr zu bewegen, denn so schlecht hatte er es doch nicht bei ihr. Auch *Morgana* beschwört *Bradamante/Ricciardo* – zu spät für beide. Mit dem Zauberring befreien *Ruggiero, Bradamante* und *Melisso* die Verhexten und stellen die alte Ordnung wieder her.

Von den beiden Frauen *Alcina* und *Morgana* ist nichts mehr zu sehen. Plötzlich gibt es auf der Insel keine Blumen mehr, sondern nur noch Männer.

Ob das wirklich besser ist?

Alcina (HWV 34), eine Oper in drei Akten mit Musik von Georg Friedrich Händel. Das Libretto schrieb Antonio Marchi nach einer literarischen Vorlage von Ariost. Am 16. April 1735 fand ihre Uraufführung in London im Theatre Royal in Covent Garden statt. Die Handlung spielt während der Kreuzzüge in einem Zauberland in Palästina – also im östlichen Mittelmeer.

Personen: *Alcina*, eine Zauberin (Sopran); *Morgana*, Alcinas Schwester (Sopran); *Ruggiero*, ein junger Held (Mezzosopran-Kastrat); *Bradamante*, Ruggieros Braut (Alt); *Oronte*, Feldhauptmann Alcinas (Tenor); *Melisso*, der Begleiter Bradamantes (Bass); *Oberto*, Sohn des Paladins Astolfo (Knabensopran); Ritter, Krieger, Geister, Volk (Chor)

Ariadne auf Naxos – Richard Strauss

Diese Oper komponierte Richard Strauss als ein Auftragswerk zur Eröffnung des Kleinen Hauses der neu erbauten Königlichen Oper in Stuttgart am 25. Oktober 1912.

Vorspiel – Wie Künstler mit ihrer Kreativität das Unmögliche möglich machen.

Ein reicher, aber nicht sonderlich musischer Gastgeber möchte seine Gäste mit einer von ihm in Auftrag gegebenen Oper unterhalten. Darauf soll ein volkstümliches Luststück folgen, damit die Leute auch was zum Lachen haben. Aufgeregt treffen die Künstler der Tragödie und der Komödie auf der Probebühne ein. Als *der Musiklehrer* erfährt, dass nach dem Trauerstück von der unglücklichen *Ariadne* die Gaukler lärmen sollen – vertreten durch *Zerbinetta* mit ihrem Gefolge –, versucht er, es dem jungen Komponisten schonend beizubringen. Aber es kommt noch schlimmer, denn *der Haushofmeister* teilt ihnen mit, dass die beiden Veranstaltungen nicht nacheinander, sondern gleichzeitig auf der Bühne stattfinden sollen, damit pünktlich um neun Uhr das Feuerwerk beginnen kann. Wie sie es machen, ist ihnen überlassen. *Der Komponist* möchte sein dramatisches Erstlingswerk nicht neben Komödianten aufführen lassen. *Der Tenor* spekuliert darauf, dass damit die Arie der Diva gekürzt wird. Sogleich empört sich die *Primadonna,* dass sie auf keinen Fall neben der *Zerbinetta* auf der Bühne stehen wird. *Zerbinetta* wittert die Chance, mit ihrer Truppe groß herauszukommen, da sie das publikumswirksamere Programm vorweisen kann.

Der Musiklehrer redet jedem Beteiligten ein, dass seine Bedingungen erfüllt werden - auf Kosten der anderen. Alle begeben sich zufrieden auf die Bühne.

Nur *der Komponist* steht am Rande und klagt *dem Musiklehrer* und der Welt seinen Schmerz: „Ich durfte es nicht erlauben! Du durftest mir nicht erlauben, es zu erlauben! Wer hieß dich mich zerren, mich! In diese Welt hinein? Lass mich erfrieren, verhungern, versteinen in der meinigen!“

Oper – Ariadne auf Naxos

Als *Ariadne* von ihrem Geliebten Theseus verlassen wird, verzieht sie sich vor Gram in eine Höhle auf der wüsten Insel Naxos. Ihre drei treuen Nymphen *Najade*, *Dryade* und *Echo* bleiben in ihrer Nähe, um sie bei jeder Gelegenheit zu bedauern. Das veranlasst *Ariadne* immer aufs Neue, sich untröstlich in den Schmerz ihres Lebens hineinzusteigern und sehnsüchtig auf den Todesboten zu warten. In dieses eingespielte Ritual platzen *Zerbinetta* und ihre vier Begleiter *Harlekin*, *Brighella*, *Scaramuccio* und *Truffaldin*, um *Ariadne* aufzuheitern, was sich schnell als vergebene Liebesmüh herausstellt, denn *Ariadne* will leiden. Nicht einmal *Harlekin*, der immer Glück bei den Frauen hat, gelingt es. Jetzt wird es *Zerbinetta* doch zu bunt. Sie schickt ihre Begleiter weg und nimmt sich *Ariadne* zur Brust – mit einer eindrucksvollen Koloraturarie. Sie gibt ihr zu verstehen, dass sie sich gefälligst nicht so anstellen soll. Verlassen zu werden gehört schließlich zum Frausein, denn treulos sind alle Männer. Sie lassen die Frauen auf wüsten Inseln zurück, auf denen *Zerbinetta* auch schon mehrmals gewohnt hat. Ihr Credo: „Ich habe nicht gelernt, die Männer zu verfluchen. „Kommt der neue Gott gegangen, hingegeben war ich stumm.“

Ariadne ist für derartige Tröstungen nicht empfänglich und verzieht sich schmollend in ihre Höhle. Zurück bleiben *Zerbinetta* und ihre vier Männer, die ihr mit Gesang und Tanz den Hof machen, bis sie sich für einen entscheidet.

Die Nymphen entdecken auf dem Meer einen Ankömmling, den sie gleich als *Bacchus* identifizieren. Er ist den Fängen der Zauberin Circe entkommen, die attraktiv aussehende Seefahrer auf ihre Insel lockt, um sie festlich zu bewirten und sich dabei gut zu unterhalten. Sobald sie ihrer überdrüssig ist, verwandelt sie die Männer in Schweine. Nun ist *Bacchus* nach seiner Flucht wieder erschöpft auf einer Insel gestrandet. Als er die schöne *Ariadne* erblickt, meint er Circe in einer anderen Gestalt vor sich zu haben und ergibt sich seinem Schicksal, nun doch verwandelt zu werden. *Ariadne* sieht in ihm den lang ersehnten Todesboten, der ihr zu diesem Zeitpunkt jedoch ungelegen kommt. Nachdem die gegenseitigen Missverständnisse aufgeklärt sind, sehen sich beide in neuem Licht. *Bacchus* lässt sich von *Ariadne* gern verzaubern und verliebt sich in sie. Gleiches widerfährt *Ariadne,* und sie ist bereit, ihm überallhin zu folgen – selbst wenn es das Totenreich sein sollte. Ein Baldachin senkt sich langsam von oben über beide, während sie noch innig ihre gegenseitigen Liebesschwüre singen.
Zerbinetta tritt aus der Kulisse und wiederholt leicht spöttisch ihr Rondo: „Kommt der neue Gott gegangen, hingegeben sind wir stumm!“

Ariadne auf Naxos (op. 60) – eine einaktige Oper von Richard Strauss mit einem Libretto von Hugo von Hofmannsthal.

Bestellt wurde sie zur Einweihung des königlichen Musiktheaters, das der Musik liebende König Wilhelm II. zum größten Teil aus seiner Privatschatulle finanzierte. Die Uraufführung fand am 25. Oktober 1912 am Kleinen Haus des Hoftheaters in Stuttgart statt. Gekoppelt war sie mit Hugo von Hofmannsthals Bearbeitung von Molières Komödie *Der Bürger als Edelmann.* Beim Publikum kam diese Kombination nicht so gut an. Deshalb entschlossen sich Richard Strauss und Hugo von Hofmannsthal zu einer Überarbeitung. In dieser neuen Fassung mit Vorspiel wurde die Oper am 4. Oktober 1916 erfolgreich an der Hofoper in Wien uraufgeführt. Die Regie führte Max Reinhardt.

Personen im Vorspiel: *der Haushofmeister* (Sprechrolle); *der Musiklehrer* (Bariton); *der Komponist* (Mezzosopran); *Primadonna - Ariadne* (Sopran); *der Tenor - Bacchus* (Tenor); *der Offizier* (Tenor); *der Tanzmeister* (Tenor); *der Perückenmacher* (Bariton); *Lakai* (Bass)
Personen aus der Commedia dell'arte: *Zerbinetta* (Sopran); *Harlekin* (Bariton); *Scaramuccio* (Tenor); *Truffaldin* (Bass); *Brighella* (Tenor)
Personen in der Oper: *Ariadne* (Sopran); *Bacchus* (Tenor); *Najade* (Sopran); *Dryade* (Alt); *Echo* (Sopran)
Personen aus dem Vorspiel: *Zerbinetta, Harlekin, Scaramuccio, Truffaldin, Brighella*

Carmen – Georges Bizet

Carmen, die emanzipierte Zigeunerin, genießt ihre Freiheit – einen Mann liebt sie so lange, bis der nächste kommt. Ihretwegen begeht ein Soldat Fahnenflucht. Das hat fatale Folgen für beide.

Erster Akt – Micaela naht; Wachablösung; Carmens Auftritt; Don Josés Fehltritt

Auf einem Platz in Sevilla schiebt das Militär Wache und langweilt sich. Sie vertreiben sich die Zeit damit, über die Leute zu lästern. Ein schüchternes Mädchen erregt ihre Aufmerksamkeit. Es fragt nach einem Soldaten namens *Don José*, der aber erst mit der nächsten Wachablösung kommt. Das Angebot, solange bei den Wachsoldaten zu bleiben und sich gegenseitig die Zeit zu vertreiben, lehnt sie dankend ab. Als die Wachablösung kommt, erkennt *Don José* an der Beschreibung, dass es sich um *Micaela* handeln muss, die seine Mutter einst als Waise zu sich nahm.
Leutnant Zuniga fragt *Don José* über die Frauen aus, die in der Zigarettenfabrik arbeiten. *Don José* jedoch zeigt kein besonderes Interesse. Als die Fabriksirene zum Pausenzeichen ertönt, versammeln sich die männlichen Einwohner von Sevilla und Umgebung vor dem Fabriktor, um … na was wohl?

Die Frauen kennen das schon und lassen sie abblitzen. *Carmen* fasst ihre Argumentation in der berühmten „Habanera“ zusammen. Diese Arie ist lang, der Inhalt vergleichsweise kurz. *Carmen* vergleicht die Liebe mit einem Vogel, der nur dann kommt, wenn es ihm beliebt. Wenn man ihn nicht beachtet, ist er plötzlich wieder da – keiner weiß, für wie lange. Diese Philosophie wendet sie gleich bei *Don José* an.

Weil er so desinteressiert dasteht, reizt er sie besonders. Sie wirft ihm eine Blüte und einen verführerischen Blick zu, bevor sie verschwindet.

Micaela trifft endlich auf den allein gelassenen *Don José*. Gewissenhaft überbringt sie ihm einen Brief und als Zugabe einen Kuss seiner Mutter. Fernerhin liest sie ihm den Brief vor. Seine Mutter bittet ihn, zurückzukommen und das liebste Mädchen zu heiraten, das sie kennt – *Micaela*.

Bevor *Don José* sich dazu äußern kann, bricht in der Fabrik eine Messerstecherei unter den Frauen aus. Als Täterin kommt nur *Carmen* infrage. Sie wird zu Leutnant *Zuniga* gebracht. Im Verhör macht sie sich über die Soldaten lustig. Also wird *José* beauftragt, sie ins Gefängnis zu bringen. Mit diesem Trick gelingt es *Carmen*, näher an *José* heranzukommen. Sie hat schon an seinem Blick gemerkt, dass er sich in sie verliebt hat. Sie verspricht *José* Liebesfreuden in Lilla Pastias Schänke. *José* lässt sie fliehen und bekommt dafür einen Monat Arrest.

Zweiter Akt – *Escamillo* tritt auf; *José* kommt aus dem Arrest zurück; Fahnenflucht.

In der Taverne des Lilla Pastia sitzen die Zigeunerinnen mit *Zuniga* und seinen Offizieren gemütlich zusammen, singen und tanzen. Hier erfährt *Carmen* von *Zuniga*, dass *Don José* nach einem Monat im Gefängnis wieder frei ist. Da betritt der Super-Stierkämpfer *Escamillo* die Schänke, sieht *Carmen* und versucht, ihr zu imponieren mit dem bekannten Lied: „Auf in den Kampf, Torero!“ Das hat bisher bei allen Frauen gewirkt.

Doch *Carmen* weist ihn zurück, ebenso wie die beiden Schmuggler, die zusammen mit drei Zigeunerinnen auf Diebeszug gehen wollen. *Carmen* hat sich in *José* verliebt und will auf ihn warten. Als er endlich kommt, tanzt und singt sie nur für ihn.
Beim Ton des Zapfenstreichs will *José* sich schleunigst auf den Weg machen, obwohl er gern geblieben wäre. Zu frisch ist die Erinnerung an den vergangenen Arrest. *Carmen* hat für ein derartiges Pflichtbewusstsein nur Hohn und Spott übrig. Als dann auch noch *Josés* Vorgesetzter *Zuniga* eintritt, entlädt sich *Josés* innerer Kampf um die richtige Entscheidung in Form eines Schlages gegen seinen Vorgesetzten. Damit ist *Don José* der Weg zurück zur Kompanie versperrt. Er muss mit den Zigeunern in die Berge fliehen.

Dritter Akt – Karten sagen Carmen den Tod voraus; Escamillo findet Carmen; José geht zu seiner Mutter.

Im Lager der Schmuggler ist der Alltag eingekehrt, in den sich *José* nicht einfinden kann. Ihn plagt das Heimweh nach seiner Mutter. *Carmen* hat mittlerweile das Interesse an ihm verloren und versucht, ihn zum Heimgehen zu bewegen.

Carmen, *Mercédès* und *Frasquita* vertreiben sich die Zeit mit Karten legen. Ihren Freundinnen verheißen sie Reichtum und Liebe. Für *Carmen* sagen die Karten immer nur den Tod voraus. *Carmen* nimmt es gelassen, denn sie weiß, dass die Karten nicht lügen. Es ist ihr Schicksal, das sie nicht ändern kann.

Die Schmuggler kehren von einem Erkundungsgang zurück. Um die Waren über die Grenze zu bringen, müssen die Frauen mit ihren Verführungskünsten die Zöllner ablenken – so, wie seit Jahr und Tag üblich.

Josés Eifersucht erwacht erneut. Allein soll er die restlichen Waren bewachen, während die anderen sich auf den Weg in die Stadt machen.
Da erscheint *Micaela* in der Felsenschlucht auf der Suche nach *Don José*. Sie redet sich ein, keine Angst zu haben. Als sie *Escamillo* bemerkt, versteckt sie sich.

José trifft *Escamillo*, der ihm ganz naiv von seiner Liebe zu *Carmen* berichtet. Wieder dreht *José* durch, wird aber von *Carmen* daran gehindert, den Torero zu töten. *Escamillo* ist gefahrvolle Situationen gewöhnt. Er nimmt es nicht allzu tragisch, sondern lädt *Carmen* und die ganze Schmugglerbande zu seinem nächsten Stierkampf in die Arena von Sevilla ein. *Josés* Warnungen stoßen bei *Carmen* auf taube Ohren.

Vor dem allgemeinen Aufbruch wird *Micaela* in ihrem Versteck entdeckt. *Micaela* berichtet ihm, dass die Mutter im Sterben liegt. Obwohl *José* gerade jetzt auf *Carmen* aufpassen will, geht er notgedrungen mit *Micaela* mit, droht *Carmen* jedoch damit, dass er zurückkommen wird.

Vierter Akt – Stierkampf in der Arena von Sevilla; José kehrt zurück; Carmens Tod.

In Sevilla tritt *Escamillo* mit großem Gefolge und *Carmen* an seiner Seite vor der Stierkampf-Arena auf. *Frasquitas* warnt *Carmen* vor dem eifersüchtigen *José*, der sich in der Menge versteckt hält. Alle ziehen in die Arena ein, nur *Carmen* bleibt vor den Toren zurück.

Als *José* aus seinem Versteck tritt, stellt *Carmen* klar, dass sie keine Angst vor ihm hat. *José* will ihr nichts tun, sondern spielt die ganze Klaviatur von Betteln bis Drohen ab, um sie zum Mitgehen in sein Dorf zu bewegen.

Doch Carmen hat andere Pläne. *José ist* längst Vergangenheit und ihre Zukunft heißt *Escamillo*. Sie reißt sich den Ring, den José ihr geschenkt hat, vom Finger und schmeißt ihn vor seine Füße. Gleichzeitig setzt das Torerolied ein: „... denk daran, dass zwei schwarze Augen auf dir ruhen und die Liebe auf dich wartet." Als aus der Arena der Sieg des Toreros erklingt, brennen *Josés* letzte Sicherungen durch. Er ersticht *Carmen*.

Beim Anblick der Zuschauer, die gerade aus der Arena kommen, wirft er sich über *Carmens* Leiche. Er gesteht, dass er sie getötet hat und verkündet, dass er festgenommen werden möchte.

Carmen - eine Oper in vier Akten mit Musik von Georges Bizet.

Das Libretto schrieben Henri Meilhac und Ludovic Halévy nach der literarischen Vorlage: **Carmen** von Prosper Mérimée. Die Oper spielt circa um 1820 in Sevilla in Spanien in der Originalsprache Französisch. Die Spieldauer beträgt fast 3 Stunden. Sie wurde am 3. März 1875 in der Opéra-Comique in Paris uraufgeführt.

Personen und ihre Stimmen:

Don José, Sergeant (Tenor); *Escamillo*, Torero (Bariton); *Dancairo*, Schmuggler (Tenor oder Bariton); *Remendado*, Schmuggler (Tenor); *Moralès*, Sergeant (Bariton); *Zuniga*, Leutnant (Bass); *Lillas Pastia*, Schankwirt (Sprechrolle); *ein Bergführer* (Sprechrolle); *Carmen*, Zigeunerin (Mezzosopran); *Micaela*, Bauernmädchen (Sopran); *Frasquita*, Zigeunerin (Sopran); *Mercédès*, Zigeunerin (Sopran); Chor und Ballett: Soldaten, junge Männer, Zigarettenarbeiterinnen, Anhänger Escamillos, Zigeuner, Zigeunerinnen, Polizisten, Stierkämpfer; Gassenjungen (Kinderchor)

Chowanschtschina – Modest Mussorgski

Chowanschtschina, die Historienoper um die Fürsten Chowanski, erzählt einen Teil der russischen Geschichte. Es geht um den Kampf um den verwaisten Zarenthron, diesmal unter religiösem Vorwand. Aufgepeppt wird Chowanschtschina durch eine tragische Liebesgeschichte, bleibt aber im Kern eine politische Oper.

Erster Akt – *Fürst Chowanski*, sein Sohn *Andrei*, dessen Exgeliebte *Marja* und *Emma*

Der Zarenthron ist stellvertretend besetzt mit Sofia, einer Schwester der beiden möglichen Nachfolger Iwan und Peter, die noch nicht volljährig sind. Derweil bekämpfen sich deren Familienclans mit schmutzigen Tricks, um ihren Wunschkandidaten an die Macht zu bringen. Der Intrigant *Schaklowiti* verbreitet das Gerücht, dass *Fürst Chowanski* einen Anschlag auf den künftigen Zaren Peter plant. *Chowanski* gehört zu den herrschenden *Strelitzen*, die wegen ihrer Brutalität gefürchtet sind. Sein Sohn *Andrei* stellt derweil lieber *Emma* nach, einem Mädchen aus der deutschen Vorstadt, die aber nichts von ihm wissen will. *Marfa*, *Andreis* frühere Geliebte, kommt gerade noch rechtzeitig, um *Emma* vor Schlimmerem zu bewahren. *Marfa* gehört zur Gegenpartei, zu den konservativen *Altgläubigen. Fürst Chowanski* Senior hat ebenfalls ein Auge auf *Emma* geworfen. Kurzerhand lässt er sie von den rabiaten *Strelitzen* festnehmen, wogegen sein Sohn rebelliert. Den Streit zwischen Vater und Sohn schlichtet der *Pope Dossifei*.

Er sagt zudem voraus, dass der Konflikt zwischen *Altgläubigen* und *Strelitzen* – beide Parteien stellen die Anwärter auf den Zarenthron – bald zum Ausbruch kommen wird.

Zweiter Akt – Verschwörung, Weissagung, Intrige

Fürst Chowanskij, *Fürst Golizyn* und *Dossifei* planen eine Verschwörung und heuern *Marfa* an, um ihnen die Zukunft vorauszusagen. *Marfa* prophezeit den baldigen Untergang. Diese unangenehme Vorhersage beantwortet *Fürst Golizyn* auf einfache Weise – er gibt den Befehl, sie heimlich zu ermorden. Der Intrigant *Schaklowiti* durchkreuzt den Plan – und noch mehr. Er erzählt ihnen, dass Sofia alles weiß und eine Untersuchung angeordnet hat.

Dritter Akt – *Marfas* Traum vom Verbrennen und Gefahr durch die feindliche Übermacht

Marfa liebt immer noch *Andrei*, was bei ihren Verbündeten als unentschuldbare Entgleisung angesehen wird. Um mit ihm auf ewig zusammen sein zu können, träumt sie davon, gemeinsam mit *Andrei* als Fackel zu verbrennen. So viel sei verraten: In Opern werden Träume wahr.

Als sich das Gerücht verbreitet, dass die Leibgarde des Zaren in großer Übermacht naht, beschließt *Fürst Chowanski*, seine *Strelitzen* im Haus zu belassen und abzuwarten.

Vierter Akt – Fürst Chowanskis Tod

Fürst Iwan Chowanski verbarrikadiert sich im Haus. Der Intrigant *Schaklowiti* weiß ihn auf elegante Art herauszulocken. Er überbringt die angebliche Botschaft der Regentin Sofia, dass sie dringend seinen Rat brauche. Der so gebauchpinselte *Chowanski* überlebt das Verlassen seines Hauses nicht.

Marfa berichtet *Andrei* vom Tod seines Vaters, was der aber für eine Finte hält. Erst als die *Strelitzen* zum Galgen geführt werden, sind sowohl er und auch der Pope sich einig, dass nur ein gemeinsamer Selbstmord sie vor den grausamen Quälereien der Gegner schützen kann.

Fünfter Akt – kollektiver Selbstmord der Altgläubigen

Die *Strelitzen* werden zwar im letzten Moment begnadigt, was aber bei den *Altgläubigen* nicht rechtzeitig ankommt. Sie verbrennen sich mit *Dossifei*, *Marfa* und *Andrei*, in der Hoffnung auf ein besseres Leben in einer anderen Welt.

Chowanschtschina mit Musik von Modest Mussorgski.

Chowanschtschina (russisch Хованщина, wörtlich „Die Sache Chowanskij") ist eine politische Oper in fünf Akten mit Musik von Modest Mussorgski, der einst als Offizier im Garderegiment des Zaren diente. Das Libretto schrieb Wladimir Stassow. Die Uraufführung in der Fassung von Nikolai Rimski-Korsakow fand in St. Petersburg am 9. Februar 1886 statt. Die Spieldauer beträgt circa 3 Stunden. Die Opernhandlung spielt in Moskau um 1682, zu Zeiten des Moskauer Aufstands.

Personen: *Fürst Iwan Chowanski*, Anführer der Strelitzen (Bass); *Fürst Andrei Chowanski*, sein Sohn (Tenor); *Fürst Wassili Golizyn* (Tenor); *Schaklowiti, Bojar* (Bariton); *Dossifei*, Führer der Altgläubigen (Bass); *Marfa*, Altgläubige (Alt); *Emma*, ein Mädchen aus dem „Deutschen Stadtviertel" (Sopran); *Strelitzen*; *Altgläubige*

Cosi fan tutte – Wolfgang Amadeus Mozart

Zwei verliebte Männer testen in der Oper „Cosi fan tutte" die Treue ihrer Angebeteten. Mit einem Partnertausch haben sie allerdings nicht gerechnet. Das amüsiert die Drahtzieher.

Erster Akt – Zwei Kavaliere schließen mit Don Alfonso eine Wette über die Treue ihrer Herzensdamen ab; sie fahren fort; sie kommen verkleidet zurück; sie nehmen aus Liebeskummer Gift.

Don Alfonso hört sich die Lobhudeleien seiner jungen Freunde *Ferrando* und *Guglielmo* an. Sie überschlagen sich fast in Beteuerungen über die Treue ihrer Bräute. *Don Alfonso* erwidert ungerührt, dass die Weibertreue dem Phönix aus Arabien gleiche. Jeder kennt ihn, aber keiner hat ihn je gesehen. Das erzürnt die beiden Verliebten. Um 100 Zechinen wetten sie mit *Don Alfonso*, dass ihre Damen jeglicher Versuchung widerstehen können.

Im Garten am Meeresstrand betrachten die Schwestern *Fiordiligi* und *Dorabella* zum x-ten Male ihre Liebsten, deren Bilder sie als Medaillons am Gürtel mit sich herumtragen. Während sie warten, bewundern sie ein ums andere Mal die Details der fein geschnittenen Gesichtszüge ihrer Verlobten. Statt ihrer erscheint *Don Alfonso*. Er verkündet ihnen, dass die beiden verhindert sind. Das macht er so spannend, dass die Schwestern schon das Schlimmste befürchten und sich allerlei Unglücke ausmalen. Herauskommt, dass die beiden Offiziere vom König in die Schlacht geschickt werden.

Darauf hebt ein Wehklagen an, das sich verstärkt, als *Ferrando* und *Guglielmo* zur Verabschiedung in Reisekleidung hinzukommen.

Fiordiligi und *Dorabella* klagen in immer weiteren Variationen, dass sie die Trennung nicht überleben werden. Amüsiert hört sich *Don Alfonso* dieses Theater an.

In einem vornehmen Zimmer bereitet die schlecht gelaunte Kammerzofe *Despina* das Frühstück. Als sie von der Schokolade nascht, kommen die beiden Schwestern hereingestürmt, verschmähen die Delikatessen und wollen nur noch leiden. Das kann *Despina* nicht verstehen. Wenn ein Mann weg ist, bleiben genug andere übrig. In ihren Augen sind alle Männer gleich viel wert, nämlich gar nichts.

Um die Wette zu gewinnen, braucht *Don Alfonso Despinas* Hilfe. Sie könnte die beiden verkleideten Herren erkennen, die ihre Bräute inkognito auf die Probe stellen werden. Nach einem angemessenen Trinkgeld – und die Aussicht auf mehr – ist *Despina* aktiv bei der Sache, obwohl der Schwierigkeitsgrad hoch ist. In ihren Augen sind die beiden Kavaliere das Gegenteil von sexy, auch wenn *Don Alfonso* versichert, sie seien zumindest reich.

Und tatsächlich sind sie nicht nur äußerlich verwegen gekleidet, sondern gehen ungehobelt gleich aufs Ganze. Mit Anlauf springen sie in jedes Fettnäpfchen und genießen es, sich voll danebenzubenehmen. Mit plumpen Liebeserklärungen versuchen sie, bei den beiden Schwestern zu landen. Die sind empört. Das ändert sich auch nicht, als *Don Alfonso* sie als seine Freunde vorstellt, die er lange nicht gesehen hat.

Despina weiß Rat. Sie rüstet die Fremden mit Fläschchen aus. Bevor sie das Gift trinken, nehmen sie noch Abschied von den beiden Damen, die sie nicht erhören wollen. Lieber vor Liebeskummer sterben als abgewiesen zu werden. Zum großen Schrecken der Schwestern zeigen sie Anzeichen einer Vergiftung.

Der Arzt, der in Wahrheit *Despina* ist, heilt die Sterbenskranken mit einem Magneten. Aus humanitären Gründen opfern sich die Schwestern, den „Sterbenden" einen Kuss zu geben.

Zweiter Akt – *Despinas* List; die Schwestern beschließen den Partnertausch; die Heiratsurkunde wird unterschrieben; die Verlobten kehren zurück.

Despina nimmt sich in Hinblick auf die noch kommenden Zechinen die beiden Schwestern vor. Sie hält ihnen eine Moralpredigt. Wenn sie zum weiblichen Geschlecht gehören, sollen sie sich dementsprechend benehmen. Flirten gehört dazu. Sie sollen das machen, was die Soldaten tun, wenn sie weg sind – rekrutieren. *Fiordiligi* und *Dorabella* finden Gefallen an *Despinas* Ausführungen. Flugs teilen sie sich die Liebhaber auf, denn wer weiß, ob ihre Offiziere je wieder zurückkommen werden. Eine nimmt den Braunen, die andere den Blonden – fertig ist der Partnertausch.

Die beiden Fremden geben sich etwas zivilisierter als vorher. *Fiordiligi* wird sofort schwach. Sie fällt auf *Guglielmos* Süßholzraspeln herein. *Guglielmo* schenkt ihr ein Herzmedaillon, das er gegen *Ferrandos* Bild eintauscht. *Dorabella* bleibt prüde, obwohl es ihr hinterher leidtut, *Ferrando* abgewiesen zu haben.

Die beiden Herren treffen sich zur Zwischenbilanz. Da platzt die Bombe. Als *Guglielmo* dem Freund sein Bildmedaillon überreicht, sinnt *Ferrando* sofort auf Rache. Er wird jedoch von *Don Alfonso* zurückgerufen, der ihm erklärt, dass es alle so machen, also „cosi fan tutte". Und nur seinetwegen könne man keine neuen Frauen erfinden. *Ferrando* rettet seine Ehre als Charmeur. Er schmeichelt sich bei *Dorabella* ein, die ihn augenblicklich erhört.

Beide Paare beschließen, sofort zu heiraten. Auch ein Notar ist zur Stelle, nämlich die verkleidete *Despina*. Wiederum wird sie erkannt, aber trotzdem wird der Heiratsvertrag von den Schwestern unterschrieben.

Just da verkündet der Soldatenchor, dass die Offiziere zurückkommen. Die beiden Fremden lassen die Damen mit einem gehörigen Schrecken zurück und verschwinden. Als Exliebhaber kommen sie wieder, entdecken die Heiratsurkunde und tun so, als seien sie empört. Von den beiden Schwestern werden sie aufgeklärt, dass die Bösewichte *Don Alfonso* und *Despina* sie zu dem Spiel verführten. Nach dem gemeinsam gesungenen Schlusssatz „Glücklich sei der Mensch, der jede Sache von der besten Seite sieht …" ist die Welt in den meisten Inszenierungen wieder in Ordnung.

Così fan tutte: „So machen es alle" oder „Die Schule der Liebenden", eine Oper in zwei Akten von Wolfgang Amadeus Mozart, KV 588. Das Libretto schrieb Lorenzo da Ponte. Die Handlung spielt in Neapel im 18. Jahrhundert. Die Uraufführung fand am 26. Januar 1790 im Burgtheater in Wien statt. Die reine Spieldauer beträgt circa 3 Stunden.

Der Inhalt der Oper wagt sich Mozart weit vor, denn hier wird die lockere Moral der adligen Gesellschaft in Szene gesetzt. Anscheinend fühlte sich das erlauchte Publikum nicht angeprangert, sondern eher gebauchpinselt.

Abfällig äußerten sich später unter anderem Ludwig van Beethoven und Richard Wagner über das „alberne und unmoralische" Textbuch.

Personen und ihre Stimmen:

Fiordiligi (Sopran); *Dorabella* (Sopran, Mezzosopran); *Guglielmo* (Bariton); *Ferrando* (Tenor), *Despina* (Sopran); *Don Alfonso* (Bariton, Bassbariton); Chor

Das Rheingold – Richard Wagner

Ein kommodes Leben führen die drei Rheintöchter *Woglinde*, *Floßhilde* und *Wellgunde*. Sie tauchen im Rhein auf und ab, spielen Fangen und bewachen dabei den Goldschatz ihres Vaters. Es fehlt ihnen nichts – schon gar nicht *Alberich*, der peinliche Höhlenbewohner.

Wie bei den meisten Männern fortgeschrittenen Alters überschätzt *Alberich* seine Anziehungskraft auf junge Frauen. Er wähnt sich allemal verführerisch genug, um mit ihnen anzubandeln, muss aber nach einigen erfolglosen Versuchen erkennen, dass sie in ihm lediglich einen Spielball sehen, den sie sich gegenseitig zukicken. Unvorsichtigerweise machen ihm die *Rheintöchter* aber weis, dass nur ein Mann, der dem Sex entsagt, niemanden liebt und nicht geliebt wird, mit dem Rheingold einen Ring schmieden kann, mit dem er die Welt beherrscht. Das regt *Alberich* zu dem folgenschweren Goldraub an, nicht ohne ein paar Flüche auf die Liebe auszustoßen. Lieber das Gold in der Höhle als die goldigen Nixen im Rheinwasser.

Wotan, und mit ihm die ganze Götterfamilie, plagt ein ganz anderes Problem. Sie haben sich, wie viele andere Häuslebauer, mit dem Bau ihrer Götterburg finanziell verhoben. Jetzt stehen die Riesen *Fasold* und *Fafner* vor der Tür und fordern ihren Lohn. Bargeld ist zwar keines da, aber *Wotan* bietet die attraktive *Freia*, Schwester seiner Frau *Fricka*, als Pfand an, bis man die Hypothek abgezahlt hat. Damit geben sich die Riesen erst einmal zufrieden und ziehen mit der „Göttin der Jugend und der Schönheit“ ab. Nach der Hochstimmung über diesen preisgünstigen Handel folgt die Ernüchterung.

Nur *Freia* kann die Äpfel ernten, deren Genuss Jugend und Vitalität ohne Alterserscheinungen garantiert.

Schon bald erschlafft die ganze apfellose Götterfamilie. *Wotan* und *Loge* – der Feuergott – machen sich auf, frisches Geld zu besorgen, bevor die Götter aussterben.

Die Mähr von dem unsagbaren Reichtum des Nibelungen *Alberich* ist bis zu ihnen vorgedrungen. *Alberich* hat sich inzwischen aus dem Rheingold einen Ring geschmiedet, damit ein Volk unterworfen und seinen einfachen, aber handwerklich talentierten Bruder *Mime* gezwungen, ihm eine Tarnkappe zu schmieden. Damit kann sich *Alberich* unsichtbar machen, was er auch beiden mit stolzgeschwellter Brust erzählt. Vor *Wotan* und *Loge* verwandelt er sich erst in einen Riesenwurm. Das imponiert zwar den beiden, macht ihn aber schwer angreifbar. *Loge* schlägt vor, *Alberich* möge sich doch auch mal in etwas Kleines verwandeln, denn Groß kann doch jeder. Ohne auch nur einen Gedanken an die Folgen zu verschwenden, hüpft *Alberich* als Kröte umher. Zack, schon haben ihn die beiden eingefangen, nehmen ihm seine Schätze ab, die Tarnkappe und sein Liebstes – den Ring! Besiegt macht *Alberich* das, was er perfekt beherrscht. Er verflucht den Ring: „Wer ihn besitzt, den sehre die Sorge, und wer ihn nicht hat, den nage der Neid.“ Dieser Satz fasst das Hauen und Stechen der folgenden drei Opern aufs Vortrefflichste zusammen.

Inzwischen warten die Riesen *Fafner* und *Fasold* in Walhall, um *Freia* gegen den Schatz einzutauschen. Der muss so groß sein, dass *Freia* vollkommen hinter dem Gold verschwindet. Das ist an sich kein Problem. Nur am Ende gibt es noch zwei undichte Stellen. Eine stopft *Wotan* mit der Tarnkappe.

Die Riesen sehen immer noch *Freias* Auge durchschimmern, auf das der Ring haargenau passen würde. Jetzt steckt *Wotan* in der Zwickmühle. Gibt er den Ring nicht her, platzt der Handel, und die Riesen ziehen mit *Freia* wieder ab. Dann ist es aus mit der Unsterblichkeit der Götter.

Gibt er den Ring, ist es aus mit der Macht. Doch die Götter wollen weiterleben und zwingen *Wotan*, den Ring vor *Freia*s Auge zu legen. Ausschlaggebend sind die Worte von *Urmutter Erda*. Sie warnt vor dem Fluch und prophezeit schon das Ende der Götter, die legendäre Götterdämmerung.

Kaum hat *Wotan* mit dem Ring *Freia*s Auge verdeckt, wirkt der Fluch. Die Riesen können sich über die Verteilung der Beute nicht einigen. *Fasold* überlebt die brüderliche Auseinandersetzung nicht. Über seine Leiche schreiten die Götter in ihre abgezahlte Götterburg. Gezielt überhören sie die von Ferne einsetzenden Klagelieder der *Rheintöchter*.

Für die Oper „Das Rheingold" komponierte Richard Wagner die Musik und schrieb auch die Verse. Es ist die erste Oper der Tetralogie „**Der Ring des Nibelungen**", häufig auch nur kurz „Ring" genannt. Es folgen drei Musikdramen **Die Walküre**, **Siegfried** und **Götterdämmerung**. **Das Rheingold** erzählt die Vorgeschichte, die letztendlich zum Desaster führt, bei dem nur drei Personen überleben. Die Uraufführung fand am 22. September 1869 im Königlichen Hof- und Nationaltheater in München statt. Sieben Jahre später wurden mit dem Rheingold die ersten Bayreuther Festspiele am 13. August 1876 eröffnet. Mit circa 2 Stunden 30 Minuten Spieldauer gehört sie zu Richard Wagners Kurzopern.

In Bayreuth wird das **Rheingold** - und der **Holländer** - ab 18 Uhr ohne Pause aufgeführt. Alle anderen Opern werden in drei Akten gespielt, mit jeweils einer Stunde Pause nach dem ersten und zweiten Akt. Die Opern beginnen jeweils um 16 Uhr und enden selten vor 22 Uhr.

Personen: *Woglinde* (Sopran); *Wellgunde* (Mezzosopran); *Floßhilde* (Alt); *Wotan* (Bariton); *Donner* (Bariton); *Froh* (Tenor); *Loge* (Tenor); *Fricka* (Mezzosopran); *Freia* (Sopran); *Erda* (Alt); *Alberich* (Bariton); *Mime* (Tenor); *Nibelungen* (stumme Rollen); *Fasolt* (Bass); *Fafner* (Bass)

Der Barbier von Sevilla – Gioachino Rossini

Die Oper handelt von dem pfiffigen Barbier Figaro, der sich seiner Bedeutsamkeit voll bewusst ist. Wenn der Lohn stimmt, holt er für alles und jeden die Kastanien aus dem Feuer. Ohne ihn läuft nichts, auch wenn es noch so stressig sein sollte: „Figaro hier, Figaro da …“

Graf Almaviva verliebt sich in eine junge Dame und folgt ihr bis nach Hause. Er singt ihr ein Ständchen, allein mit Gitarre, und – zur Bekräftigung seiner ernsten Absichten – mit Verstärkung eines Männerchors. Seine Angebetete *Rosina*, eine reiche Waise, wird von ihrem Vormund *Doktor Bartolo* streng bewacht.

Weil *Rosina* so schön ist, hat *Doktor Bartolo* viel zu tun; waren doch junge Mädchen schon immer schwerer zu hüten als ein Sack voller Flöhe. Dabei liegt ihm nur bedingt an ihrem Wohlergehen – eher an seinem, denn er möchte *Rosina* heiraten, um an deren Mitgift zu kommen.

Graf Almaviva trifft zufällig *Figaro*, seinen Ex-Kammerdiener, der sich jetzt als Barbier seinen Lebensunterhalt verdient. Schon damals schafften es die Friseure nicht, mit ihrem Einkommen auszukommen. *Figaro* jobbt also nebenbei als Intrigant und Kupplerkönig. Darauf ist er unheimlich stolz, was er in der berühmten Schnellsprech- und Zungenverdreher-Arie zum Ausdruck bringt: „Figaro hier, Figaro da …“ (auf diese Arie warten Opernbesucher in Mozarts **Hochzeit des Figaro** vergeblich).

Graf Almaviva möchte testen, ob *Rosina* ihn um seiner selbst Willen oder wegen seines Titels und Geldes liebt(!). *Figaro* rät ihm, sich als betrunkener Soldat bei *Doktor Bartolo* Einlass zu verschaffen, um mit seiner angebeteten *Rosina* ungezwungen zu plaudern, um sich besser kennenzulernen.

Das geht fast schief, denn die von *Doktor Bartolo* gerufenen Wachen (Männerchor) wollen ihn festnehmen. *Graf Almaviva* kann sich ausweisen, und die Wachen ziehen zerknirscht ab. Er schafft es noch, *Rosina* einen Liebesbrief zuzuspielen.

Am nächsten Tag gibt er sich als Musiklehrer aus, in Vertretung des kranken *Basilio*. (Wunderschönes Katerduett, in dem der Graf versucht, seine Stimme zu verstellen, und der Doktor, diese nachzuäffen (jauuul).) Der immer misstrauischere *Doktor Bartolo* bewacht die beiden während ihrer Singstunde, die aber Zeit finden, sich durch einige Arien hindurch ihre Liebe zu erklären. Sie verabreden sich um Mitternacht – Schlag zwölf soll *Rosina* abgeholt und entführt werden – zack!! Den Hausschlüssel bekommen sie von *Figaro*, der ihn wiederum *Doktor Bartolo* abgeluchst hat.

Doktor Bartolo sieht seine Felle davonschwimmen. Er bestellt den Notar, um sich schnell mit *Rosina* zu verheiraten, bevor es ein anderer macht. Der *Notar* kommt und traut stattdessen *Rosina* und *Graf Almaviva* – nach einer kleinen Nachhilfe mit Waffengewalt und Bestechungsgeld.

So findet in der gemeinsamen Schlussarie zusammen, was zusammengehört.

Der Barbier von Sevilla (Originaltitel: Il barbiere di Siviglia), komische Oper in zwei Aufzügen von Gioachino Rossini.

Das Libretto stammt von Cesare Sterbini. Es ist eine Bearbeitung des Schauspiels **Le Barbier de Seville** von Pierre Augustin Caron de Beaumarchais. Uraufgeführt wurde die Oper am 20. Februar 1816 unter der Leitung des Komponisten im Teatro Argentina am Largo di Torre Argentina in Rom. Die Oper spielt in Sevilla im 18. Jahrhundert. Die Spieldauer beträgt circa 2 Stunden 30 Minuten.

Personen: *Almaviva*, der Graf (Tenor); *Fiorillo*, Diener des Grafen Almaviva (Bariton/Bass); *Bartolo*, der Doktor (Bass); *Ambrogio*, Diener von Bartolo (Bass); *Berta*, Haushälterin bei Bartolos (Sopran); *Basilio*, der Musikmeister (Bass); *Figaro*, der Barbier (Bariton; Buffo); *Rosina* (Mezzosopran/Sopran (je nach aufgeführter Fassung); *Offizier* (Bass); *Notar* (stumme Rolle)

Der Fliegende Holländer – Richard Wagner

Der „Fliegende Holländer“ muss wegen eines Fluches so lange als Untoter über die Meere segeln, bis eine liebende Frau seinetwegen in den Tod geht.

Erster Aufzug – *Daland* verspricht dem *Holländer* seine Tochter *Senta*.

Wegen heftiger See muss der norwegische Kaufmann *Daland* mit dem Schiff kurz vor seinem Heimathafen in der Bucht von Sandwike Schutz suchen. Die Mannschaft begibt sich zur Ruhe. Ebenso *der Steuermann*, der Wache halten sollte. Von allen unbemerkt ankert ein Schiff mit schwarzen Masten und roten Segeln neben ihnen.

Der Kapitän geht an Land und beklagt ausgiebig sein Schicksal. Es ist *der Fliegende Holländer* auf der Suche nach einer Frau, die für ihn in den Tod geht. Bisher fand er sie nicht, kein Wunder, denn welche Frau macht das schon freiwillig und bei vollem Verstand? Da helfen auch die sagenhaften Schätze nichts, die sich im Lauf der Jahrhunderte angehäuft haben. Erschwerend kommt hinzu, dass er nur alle sieben Jahre für eine bestimmte Zeit auf Brautschau gehen kann. *Der Holländer* gehört nämlich zu den untoten Zeitenwanderern, die es einst mit dem Teufel aufnehmen wollten. Er hatte beim Satan geschworen, dass er ein Kap umsegeln wird, auch wenn es eine Ewigkeit dauern würde. Genau das macht er jetzt, und ist immer noch nicht zufrieden, sondern will jetzt endlich sterben. Das kann er aber nur, wenn eine Frau aus reiner Liebe für ihn in den Tod geht.

Er hat kaum eine Chance, eine derartige Frau zu finden, aber er probiert es alle sieben Jahre trotzdem.

Daland entdeckt das fremde Schiff und fängt mit dem Kapitän ein Gespräch an. *Der Holländer* wittert Frauenduft und bittet *Daland* ohne große Umschweife um die Hand seiner Tochter. Der treusorgende Vater ist - nach einem Blick in die Schatztruhe - vollkommen überzeugt, dass dieser finstere Unbekannte genau der richtige Ehemann für seine *Tochter Senta* ist. Der Sturm hat sich gelegt, und beide segeln in Richtung *Dalands* Heimathafen.

Zweiter Aufzug – Spinnstube; *Senta* und der *Holländer* verlieben sich auf den ersten Blick; *Erik* schwant Böses.

In der Spinnstube warten die fleißigen Mütter, Frauen, Schwestern und Bräute auf die Ankunft der Seeleute. Alle spinnen fleißig, lediglich *Senta* nutzt ihre Sonderstellung als Kapitänstochter und schaut nur auf das Porträt des *Holländers*. Von den Spinnerinnen wird sie deswegen aufgezogen. Also bittet sie *Frau Mary*, ihr zum wiederholten Male die Geschichte vom *Holländer* zu erzählen. An der entscheidenden Stelle besteht sie darauf, die Erlöserin des *Holländers* zu sein. Das treue Weib bis in den Tod.

Zu diesem Zeitpunkt kommt *Erik* herein, um die Ankunft von *Dalands* Schiff zu melden. Er liebt *Senta* trotz oder wegen ihres exzentrischen Spleens. Nachdem die Frauen zum Hafen gelaufen sind, um endlich ihre Männer wiederzusehen, redet *Erik Senta* noch einmal ins Gewissen. Sie soll ihren Vater dazu bewegen, einer Heirat mit ihm zuzustimmen.

Außerdem berichtet er von einem Traum, in dem *Senta* und ein unheimlicher Seemann eine Rolle spielen. Für *Senta* ist es das Zeichen, dass ihr Lebens-/Todestraum endlich in Erfüllung geht.

Daland und *der Holländer* treten ein, und schon ist es um *Senta* und *Holländer* geschehen. *Daland* zieht mit den Schätzen ab. Er braucht damit keine Überzeugungsarbeit mehr zu leisten, denn es sieht so aus, als ob Senta ohnehin freiwillig in eine Heirat mit dem Holländer einwilligt. *Senta* und der *Holländer* sind sofort fasziniert voneinander. Beide wissen, um was es geht. *Senta* ist bereit zu sterben; *der Holländer* warnt sie trotzdem noch einmal vor diesem Opfer. *Daland* kommt nach dieser Aussprache der Liebenden zurück. Er bittet sie zum Wiedersehensfest, um die Verlobung bekannt zu geben.

Dritter Aufzug – Das Geisterschiff erwacht; *Erik* besteht auf *Sentas* Treueschwur; *Holländer* und *Senta* erreichen ihr Traumziel.

Die Seeleute bitten ihre Kollegen vom Geisterschiff zum Fest. Als diese endlich die Einladung annehmen, fliehen die Normalsterblichen entsetzt in sämtliche Richtungen. (Lieblingsszene der Maskenbildner und Kostümgestalter)

Erik passt die zurückgebliebene *Senta* ab und macht ihr Vorwürfe. Nicht dem *Holländer*, sondern ihm hätte sie viel früher die Treue geschworen. *Senta* will sich nicht an diese Jugendsünde erinnern.

Der Holländer hat das Gespräch belauscht und fühlt sich von *Senta* betrogen. Ohne weitere Diskussionen wendet er sich ab und sticht sofort mit seinem Geisterschiff allein in See. *Senta* sieht sich um ihre Opferrolle betrogen.

Sie erklimmt einen Felsen, von dem aus sie sich vor den Augen des *Holländers* ins Meer stürzt. *Der Holländer* darf endlich sterben. *Sentas* Schicksal dagegen ändert sich von Regisseur zu Regisseur mit jeder Inszenierung.

Der Fliegende Holländer - Romantische Oper in drei Aufzügen mit Musik und Libretto von Richard Wagner.

Angeregt zu dieser Oper wurde Richard Wagner auf einer Überfahrt nach London bei stürmischer See. Die Geschichte spielt vor der norwegischen Küste um 1650. Sie geht auf die Sage um den niederländischen Kapitän Bernard Fokke zurück, der wegen eines Fluches dazu verdammt ist, bis in alle Ewigkeit um die Weltmeere zu segeln.

Die Uraufführung fand am 2. Januar 1843 in Dresden im Königlich Sächsischen Hoftheater statt. Die Spieldauer beträgt „nur" circa 2 Stunden 30 Minuten. Deshalb wird diese „Kurzoper" bei den Bayreuther Festspielen immer an einem Stück ohne Pause gespielt.

Personen: *Daland*, ein norwegischer Seefahrer (Bass); *Senta*, seine Tochter (Sopran); *Erik*, Sentas Verehrer (Tenor); *Mary*, Sentas Amme (Alt); *Steuermann* Dalands (Tenor); *Holländer* (Bariton); Matrosen des Norwegers, Die Mannschaft des Fliegenden Holländers, Mädchen (Chor)

Der Rosenkavalier – Richard Strauss

Richard Strauss amüsiert sich in seiner komischen Oper „Der Rosenkavalier“ über den verliebten Jungsporn, den prolligen Adligen, den katzbuckelnden Neureichen. Verständnis zeigt er dagegen für die reife Dame und die junge Braut.

Erster Akt – Im Schlafzimmer der Feldmarschallin

Octavian (17 Jahre jung) findet sich nach einem Faschingsball im Schlafzimmer der *Feldmarschallin Fürstin Werdenberg* (ungefähr doppelt so alt) wieder, in die er unsterblich verliebt ist. Eine Männerstimme vor der Tür könnte die Ankunft des Feldmarschalls bedeuten, entpuppt sich aber als der ungehobelte *Ochs von Lerchenau. Octavian* kann nicht so schnell verschwinden, zieht sich ein herumliegendes Kleid über, setzt sich ein Häubchen auf und knickst dem Besuch zu, der als Vetter der Marschallin meint, jederzeit Einlass zu bekommen.

Kaum im Schlafzimmer der *Feldmarschallin*, fällt ihm sofort das Mädchen auf. In seiner plumpen Art versucht er, mit ihr anzubandeln. Dass sie sich ziert, macht ihn nur noch heißer, während die *Feldmarschallin* sich köstlich amüsiert.

Dabei kam *Ochs* ursprünglich her, um über die *Feldmarschallin* einen Verwandten zu finden, der nach einem alten Brauch der Braut im Auftrag des Bräutigams eine silberne Rose überbringt.

Er ist extra nach Wien gereist, um sich dazu herabzulassen, gnädigerweise die Tochter des reichen Emporkömmlings *Faninal* zu heiraten. Der besitzt mehrere Häuser, und um seine Gesundheit ist es schlecht bestellt.

Die *Feldmarschallin* schlägt übermütig *Octavian* als *Rosenkavalier* vor – ein Vetter von beiden in dieser weitläufigen Familie –, der als Mädchen *Marie* verkleidet dem *Ochs* gerade den Kopf verdreht.

Währenddessen findet auch der allmorgendliche Empfang im Schlafgemach statt, mit einem Durcheinander an Bittstellern, Intriganten, Sängern und Statisten, so viel der Etat der Inszenierung hergibt. Je nach Fantasie der Regisseure, Kostüm- und Bühnenbilder ein Fest für die anwesenden Augenmenschen im Publikum.

Wieder allein, verfällt die *Feldmarschallin* in eine Augenblicksdepression. Sie sieht ihr Alter und den Tag kommen, an dem *Octavian* sich in eine jüngere Frau verliebt. *Octavian* verspricht ihr, so etwas NIE zu machen (schnell ist die Jugend mit dem Wort).

Zweiter Akt – Sophie und Octavian kommen sich näher.

Sophie wartet mit ihrer Zofe *Jungfer Marianne Leitmetzerin* auf die Ankunft des *Rosenkavaliers*.

Sophie hat sich auf ihre Ehe vorbereitet und kennt die neue Verwandtschaft auswendig. So imponiert sie *Octavian* mit der Kenntnis sämtlicher Vornamen. Spätestens da funkt es bei ihnen. *Der Ochs* stört die beiden nicht nur, sondern benimmt sich auch sonst gründlich daneben. Er behandelt sowohl *Sophie* als auch deren Vater herablassend – wie eine Ware, die er einkauft. *Sophie* weigert sich, ihn zu heiraten, was aber den *Ochs* nicht stört: „Wird schon kommen über Nacht …“

Octavian wird die Plumpheit zu bunt, und um *Sophie* zu beschützen, die sich zu ihm flüchtet, fordert er den *Ochs* zum Duell heraus.

Der Ochs stellt sich so ungeschickt an, dass *Octavian* ihn mit dem Degen den Arm aufkratzt, was der *Ochs* zum Anlass nimmt, sich wie ein schwer verletzter Sterbender zu benehmen, bis *Faninal* alle genervt hinausschmeißt. *Dem Ochs* wird ein Brief von *Marie* (*Octavian* in Mädchenkleidern) zugespielt, in dem sie ihn zu einem Rendezvous bittet.

Dritter Akt – Showdown im Wirtshaus; Ochs wird vom Pech verfolgt.

In einem Nebenzimmer eines kleinen Gasthauses treffen *Octavian* und seine Diener Vorbereitungen für das Rendezvous von *Marie* und *Ochs*.

Neben einem großen(!) Bett steht ein Tisch, an dem *Marie* und *Ochs* tafeln. Während des Essens gehen alle möglichen Fenster und Luken auf, in die Geist, Gnom, Teufel hineinlugen. (Und wieder dürfen die Bühnenfachleute alle Register ziehen, um dem Publikum zu imponieren.) Es tritt sogar eine Frau – die sich als *Ochs' Gemahlin* ausgibt – mit drei Kindern auf, die sich an ihn hängen und „Papa, Papa" rufen. *Ochs* fühlt sich derart bedrängt, dass er nach der Polizei ruft – zu seinem Pech, denn die hält ihn für den Schuldigen. Zu aller Schreck kreuzt auch noch die *Feldmarschallin* auf, die das Ganze als „Wienerische Farce" bezeichnet, den Spuk für beendet erklärt und *Ochs* heimschickt. Der möchte von seiner fest eingeplanten Mitgift nicht lassen, verschwindet aber blitzschnell, als Wirt, Kellner, Musikanten und seine Exfrau mit den drei Kindern ihren Lohn verlangen.

Die Feldmarschallin sieht als gekommen, was sie schon im ersten Akt befürchtet hat, dass sie *Octavian* an eine Jüngere verliert. *Octavian* ist hin- und hergerissen zwischen beiden Frauen. Die *Feldmarschallin* muss ihn Richtung *Sophie* schubsen. Somit hat *Sophie* die Verwandtschaftsverhältnisse nicht umsonst auswendig gelernt.

Der Rosenkavalier, Komödie für Musik (op. 59) von Richard Strauss, spielt in Wien um 1740. Das Libretto schrieb **Hugo von Hofmannsthal**. Die Oper wurde am 26. Januar 1911 in Dresden uraufgeführt. Die Spieldauer beträgt circa 3 Stunden 45 Minuten.

Personen: *Feldmarschallin Fürstin Werdenberg* (Sopran); *Baron Ochs auf Lerchenau* (Bass); *Octavian*, genannt Quinquin, ein junger Herr und Vetter der Feldmarschallin (Mezzosopran); *Herr von Faninal*, ein reicher Neugeadelter (Bariton); *Sophie*, seine Tochter (Sopran); *Jungfer Marianne Leitmetzerin*, die Duenna (Sopran); *Valzacchi*, ein Intrigant (Tenor); *Annina*, seine Begleiterin (Alt); *ein Polizeikommissär* (Bass); *der Haushofmeister der Marschallin* (Tenor); *der Haushofmeister bei Faninal* (Tenor); *ein Notar* (Bass); *ein Wirt* (Tenor); *ein Sänger* (Tenor); *eine Modistin* (Sopran); *ein Tierhändler* (Tenor); *drei adlige Waisen* (Sopran, Mezzosopran, Alt); *vier Lakaien der Marschallin* (2 Tenor, 2 Bass); *vier Kellner* (1 Tenor, 3 Bass); ein Gelehrter, ein Flötist, ein Friseur, dessen Gehilfe, eine adlige Witwe, ein kleiner Neger; Lakaien, Küchenpersonal, Gäste, Musikanten, Wächter, Kinder, verschiedene verdächtige Gestalten

Der Freischütz – Carl Maria von Weber

Die Oper handelt von einem jungen Jäger, der seine geliebte Braut erst heiraten darf, wenn er seinen Meisterschuss abgegeben hat. Vor lauter Versagensangst schließt der nervöse Meisterschütze einen Pakt mit einem zwielichtigen Gesellen, was seiner Braut fast den Kopf gekostet hätte.

Erster Aufzug – der Eremit ahnt Böses voraus

Kilian wird Schützenkönig, und nicht etwa der Meisterschütze *Max*. Das Volk reagiert mit Schadenfreude, *Max* mit Aggression – bei ihm liegen die Nerven blank. Als er *Kilian* verprügelt, greift der *Jäger Kuno* ein und erzählt die alte Sage, die *Max*' Stimmungstief erklärt. Sein Großvater erschoss einen Hirsch, ohne dass ein Mensch verletzt wurde. Daraufhin bekam er die Ländereien und die Tochter des Oberjägers zur Frau. Genau das steht *Max* bevor, denn um seine geliebte *Agathe* heiraten zu dürfen, muss er vorher einen Meisterschuss abgegeben haben. Ohne Prüfungsangst wäre es kein Problem gewesen, aber jetzt wird aus dem einstigen Meisterschützen ein Versager. In dieser Situation kommt ihm *Kaspar*, der dunkle Geselle, gerade recht. *Kaspar* reicht *Max* eine Kugel und nötigt ihn, auf einen Adler hoch oben in den Lüften zu schießen – normalerweise ein sinnloses Unterfangen. Aber der Vogel fällt getroffen vor seine Füße. Das überzeugt *Max*. Er möchte noch mehr dieser Kugeln, um besser schießen und *Agathe* zur Frau nehmen zu können. Dazu muss er aber in die Wolfsschlucht gehen – um Mitternacht. Die Wolfsschlucht ist für ihre Gespenster und Hexen bekannt.

Keiner traut sich da hinein, schon gar nicht um Mitternacht. *Max* willigt trotzdem ein, immer seine Zukunft mit *Agathe* vor Augen.

Zweiter Aufzug – Agathes dunkle Vorahnungen

Agathe fühlt sich vom Unglück verfolgt. Erst schenkt der *Eremit* ihr geweihte Rosen gegen kommendes Leid. Auch als sich dann noch Urgroßvater Kuno von der Wand löst und mitsamt dem Bilderrahmen auf sie drauf fällt, verbessert sich ihre Stimmung nicht, obwohl ihre Freundin *Ännchen* alles versucht, um sie aufzuheitern.
Als aber *Max* – statt mit dem Hirsch als Siegestrophäe – mit ein paar Adlerfedern bei ihr aufkreuzt, kommen ihr erste Bedenken. Als er ihr dann noch erzählt, dass er jetzt noch geht, um den Hirsch aus der Wolfsschlucht zu holen, macht sich bei den beiden Frauen blankes Entsetzen breit. *Max* ergreift die Flucht (nach vorn).

Wolfsschlucht, Heimat der Geister und anderer lichtscheuer Gestalten – ein Fest für Bühnen- und Kostümbildner, Bühnentechniker, Choreografen und gute Verdienstmöglichkeiten für die Statisterie.

Max wagt sich in die Wolfsschlucht, in der *Kaspar* schon - mit Samiels bösem Gehilfen - aus Blei und Teufelssprüchen die sieben Zauberkugeln gießt. Die letzte Kugel soll von Höllenkräften gelenkt werden. *Samiel* möchte damit *Max* in seine Gewalt bringen. Am nächsten Tag verschießt *Max* zu Übungszwecken seine Kugeln und behält nur noch eine zurück.

Dritter Aufzug – Agathes Hochzeitsvorbereitungen

Agathe sieht sich im Traum als weiße Taube, die, von *Max* abgeschossen, blutig auf dem Boden landet. Nur mühsam können *Ännchen* und die Brautjungfern sie aufheitern.

Sie singen ihr ein Lied, das schon längst Volksgut geworden ist: „Wir binden dir den Jungfernkranz, aus veilchenblauer Seide …“ Statt eines Brautkranzes wird daraus versehentlich eine Totenkrone. Das praktische *Ännchen* lässt diese verschwinden und bindet schnell aus den Rosen des *Eremiten* eine neue Brautkrone.

Der Meisterschuss und seine Folgen

Großer Jägerchor stimmt das Publikum auf das kommende Ereignis ein. *Fürst Ottokar* fordert *Max* auf, seinen Meisterschuss abzugeben. Als Ziel gibt er eine gerade vorbeifliegende Taube an, hinter der ebenso schnell *Agathe* mit ihren Brautjungfern erscheint. *Max* schießt. Aber nicht nur *Agathe* – wie die Zuschauer es vorhergesehen haben –, sondern auch der *böse Kaspar* fällt zu Boden. *Agathe* überlebt, durch die Blumen des *Eremiten* geschützt. *Kaspar* muss dran glauben. Vorher verflucht er aber noch einmal gründlich Himmel und Hölle. Möglich geworden ist diese Wendung durch den *Eremiten*, der nach dieser Beinahe-Katastrophe die Tradition des Probeschusses aufhebt. *Max* bekommt ein Jahr Bewährungsfrist. Bei gutem Betragen darf er danach seine *Agathe* heiraten.

Der Freischütz, romantische Oper in drei Aufzügen mit Musik von Carl Maria von Weber, op. 77. Das Libretto stammt von **Johann Friedrich Kind**. Die Oper wurde am 18. Juni 1821 im Königlichen Schauspielhaus Berlin uraufgeführt. Sie wurde von der Musikkritik schon zu Webers Lebzeiten als die „erste deutsche Nationaloper“ bezeichnet. Die Spielzeit beträgt circa 3 Stunden.

Personen: *Ottokar*, böhmischer Fürst (Bariton); *Kuno*, fürstlicher Erbförster (Bass); *Agathe*, die Tochter des Erbförsters (Sopran); *Ännchen*, Agathes Cousine (Sopran); *Kaspar*, erster Jägerbursche (Bass); *Max*, zweiter Jägerbursche (Tenor); *ein Eremit* (Bass); *Kilian*, ein reicher Bauer (Bariton); *vier Brautjungfern* (Sopran); *Samiel*, der schwarze Jäger – Satan (Sprechrolle); *erster, zweiter* und *dritter fürstlicher Jäger* (Sprechrollen)

Die Fledermaus – Johann Strauss

Die Melodien aus der Fledermaus sind bekannt bis zum Mitsingen; turbulent geht es zu in der Verwechslungskomödie; zahlreiche Dialoge sind als Zitate in den allgemeinen Sprachgebrauch übergegangen. Viel Spielraum bleibt für Ballett, Bühne und Kostüme – und der wird von Regisseuren, Choreografen, Kostümbildnern und Bühnenbildnern genutzt!

Erster Akt – Eisenstein, seine Gattin Rosalinde, deren Zofe Adele, Hausfreund Tenor Alfred, Doktor Falke

Alle haben etwas Besonderes vor an diesem Abend. *Gabriel Eisenstein* muss wegen Beleidigung einer Amtsperson für ein paar Tage ins Gefängnis; seine Frau *Rosalinde* freut sich auf den Besuch des *Gesangslehrers Alfred*; der *Gesangslehrer Alfred* weiß, dass *Rosalinde* beim hohen „A" immer schwach wird und bereitet sich auf einen Abend als Hausherr vor; das *Zimmermädchen Adele* bekam einen Brief von ihrer *Schwester Ida*, die sie zum Fest beim *Prinzen Orlofsky* einlädt.

Gabriel Eisenstein wird ebenfalls zum Fest des *Prinzen Orlofsky* eingeladen, und zwar von *Doktor Falke*, der seinem Patienten, dem *Prinzen Orlofsky*, eine lustige Nacht versprochen hat. *Eisenstein* beschließt, dass der Morgen danach noch früh genug fürs Gefängnis ist, verabschiedet sich von seiner Frau *Rosalinde* und geht mit.

Adele jammert ihrer Arbeitgeberin etwas von ihrer todkranken Tante vor. *Rosalinde* mag es zwar nicht recht glauben, gibt ihr aber doch frei, da sich der *Gesangslehrer Alfred* lautstark meldet.

Rosalinde ziert sich anstandshalber: „Ich bin eine verheiratete Frau.“ Das stört *Alfred*, der sich schon häuslich einrichtet, nicht weiter: „Ich bin nicht eifersüchtig.“

Der neue *Gefängnisdirektor Frank* kommt persönlich, um den nicht erschienenen *Eisenstein* abzuholen. Eigentlich möchte er das traute Glück nicht stören, aber Ordnung muss schließlich sein. Also geht *Alfred* lieber mit, als enttarnt zu werden, herzlich verabschiedet von seiner Kurzzeit-Gattin.

Zweiter Akt – Maskenball beim Prinzen Orlofsky, Rollentausch von Eisenstein, Adele, Rosalinde, Gefängnisdirektor

Der Maskenball beim *Prinzen Orlofsky* wird, je nach Kostümbildner und Tanzkompanie des jeweiligen Hauses, zum Höhepunkt für Ballettfreunde. *Doktor Falke* weiht den *Prinzen Orlofsky* in seine Intrige ein, denn er hat mit *Eisenstein* noch ein Hühnchen zu rupfen. Nach einem Maskenball, im Kostüm einer Fledermaus, machte *Eisenstein* ihn einst zum Gespött der Marktfrauen. Alle hat *Doktor Falke* hierher eingeladen – sowohl die *Zofe Adele*, die *Gattin Rosalinde*, den *Gefängnisdirektor Frank* und natürlich *Eisenstein.* Sie erhalten ein elegantes Kostüm und auch eine Maske, damit sie sich gegenseitig nicht erkennen. *Adele* wird als „Künstlerin Olga“ von *Eisenstein* als „Marquis Renard“ zwar erkannt, sie stellt ihn aber mit der Arie: „Mein Herr Marquis, ein Mann wie Sie …“ ruhig. Der hat auch andere Sorgen, denn mit dem *Gefängnisdirektor Frank* – als „Chevalier Chagrin“ – muss er auf Französisch parlieren. Erst als seine *Frau Rosalinde* in Gestalt einer geheimnisvollen ungarischen Gräfin erscheint, ist er wieder in seinem Element. Mithilfe seiner Uhr meint er sie zu becircen. Seine *Frau Rosalinde*, die schon einmal auf diese Prozedur hereinfiel, dreht den Spieß um und luchst ihm die Flirt-Uhr ab.

Eisenstein bekommt sie nicht zurück, denn schon schlägt die Turmuhr Sechs. *Eisenstein* muss ins Gefängnis, um seinen Arrest anzutreten; *Frank* ebenfalls, um seinen Dienst als Gefängnisdirektor anzutreten.

Dritter Akt Gefängniswärter „Frosch"

Der dritte Akt spielt im Gefängnis. Hier erscheinen noch einmal alle Beteiligten. Es soll Zuschauer geben, die nur wegen des dritten Aktes zu jeder Vorstellung kommen – wenn der „*Frosch*" nur immer aktuell bleibt. Der ewig angeheiterte *Gefängniswärter wird traditionsgemäß von einem Schauspieler oder Kabarettisten gespielt. „Frosch" lässt die Tagespolitik einfließen, beginnend mit dem Satz: „Herr Direktor, ich bin berühmt. Ich steh in der Zeitung."* Daraufhin hebt er die Lokalzeitung unter seinen Füßen auf und beginnt, verschiedene Tagesnachrichten und das Geschehen im Gefängnis zu kommentieren. Oder er kalauert herum, wenn *Adele* als „Künstlerin Olga" und ihre Schwester *Ida* sich auf Kosten des „Chevalier Chagrin" zu Künstlerinnen ausbilden lassen möchten: „Die Olga und die Ida, die war'n doch noch nie da, und heut san's schon so frieh' da".
Eisenstein wird nicht eingesperrt, weil er (in Gestalt des *Gesangslehrers Alfred*) schon in der Zelle sitzt. *Frosch* will es ihm beweisen. Mit verschiedenen Zellentüren – auf, zu, auf, zu – sperrt er sich selbst ein. Sein Hilferuf „Herr Direktor, wir sind eingemauert" kann die Lachmuskeln beschäftigen. Als schließlich *Rosalinde* erscheint, um ihre Männer abzuholen, wird *Eisenstein* klar, dass seine Frau auch nicht die Treueste ist.

Nachdem sie ihm aber die Uhr zeigt, die sie ihm vorher abgeluchst hat, sind sie quitt. *Doktor Franke* und *Prinz Orlofsky* lösen am Ende die Intrige wegen der Fledermaus auf (die Fledermaus, die Fledermaus …).

Die Fledermaus, eine Operette mit der Musik von Johann Strauss, dem Libretto von **Karl Haffner und Richard Genée**, wurde am 5. April 1874 im Theater an der Wien uraufgeführt. Die Fledermaus gehört zu den meist gespielten Operetten auf deutschen Bühnen. Die Spieldauer beträgt circa 2 Stunden 30 Minuten.

Der Österreichisch-deutsche Kapellmeister und Komponist wurde als „Walzerkönig“ international geschätzt. Zur Unterscheidung von seinem gleichnamigen Vater – dem ebenfalls sehr erfolgreichen Walzer-Komponisten - wird er auch als „Johann Strauss (Sohn)“ bezeichnet. Mit ihm endet die Walzer-Dynastie. Strauss war insgesamt drei Mal verheiratet. Alle drei Ehen blieben kinderlos.

Personen: *Gabriel von Eisenstein* (Tenor); *Rosalinde*, Gabriels Frau (Sopran); *Frank*, Gefängnisdirektor (Bass); *Prinz Orlofsky* (Mezzosopran); *Alfred*, Gesangslehrer (Tenor); *Dr. Falke*, Notar (Bariton); *Dr. Blind*, Advokat (Tenor); *Adele*, Kammermädchen (Sopran); *Ida*, ihre Schwester (Sopran); *Frosch*, Gerichtsdiener (Sprechrolle, Komiker); Gäste des Prinzen (Chor), Ballett

Die glückliche Hand – Arnold Schönberg

Schönberg bezeichnet dieses Werk als „Drama der gestörten Liebesbeziehung" – einen Traum. Von Bühnenbild, Kostümen und Ablauf hat er eine bestimmte Vorstellung, die er genau in der Partitur notiert, mit minutiösen Angaben für Farben und Licht.

Erstes Bild

Ein Mann windet sich in Albträumen. Auf ihm hockt ein katzenartiges Wesen. *Zwölf Gestalten* mit grün beleuchteten Gesichtern flüstern beruhigend auf den Mann ein. Erst sehr leise in einem Sprechgesang, kaum verständlich, dann immer lauter. Als Chor und Fabeltier verschwinden, wacht der verwahrlost wirkende *Mann* auf und wankt schlaftrunken davon.

Zweites Bild

Ein *„jugendliches Weib"* mit hellviolettem Kleid, gelbe und rote Rosen im Haar, tritt aus hellem Sonnenlicht. Die *junge Frau* spielt mit dem *Mann.* Erst reicht sie ihm einen Becher. Als er davon getrunken hat, beachtet sie ihn nicht mehr, sondern geht mit einem *eleganten Herrn* davon. Dann kommt sie wieder, reicht ihm die rechte Hand. Als er zugreift, ist sie verschwunden. Sie reicht ihm die linke Hand und verschwindet abermals. Trotzdem singt der *Mann* in Siegerpose, seine linke Hand betrachtend: „Nun besitze ich dich für immer!"

Drittes Bild In einer Grotte, ein Mittelding zwischen Mechaniker- und Goldschmiedewerkstatt, sieht man einige Arbeiter in realistischen Arbeiterkostümen bei der Arbeit.

Der Mann legt einen Klumpen Gold auf den Amboss, holt zum Schlag aus und zaubert mit der linken Hand ein funkelndes Diadem unter dem Hammer hervor. Das Licht geht aus, um dann mit dem aufkommenden Sturm in verschiedenen Farben zu leuchten. Mit dem „Crescendo des Windes“ geht ein „Crescendo der Beleuchtung“ einher. Die Arbeiter sind dem Mann feindlich gesinnt, beruhigen sich aber immer wieder, sobald er ihnen die linke Hand zeigt – seine Glückshand. Wieder kommt *die Frau*, die aber nicht bei ihm bleibt, sondern mit dem *Herrn* mitgeht, der von Ferne winkt. Hier versagt seine Glückshand. Krampfartig mit den Händen zitternd bleibt der *Mann* allein zurück. *Die Frau* stößt einen Stein an, der den Mann begräbt. Laute Musik und höhnisches Lachen ertönen.

Viertes Bild

Der Stein wird zum Fabeltier, das sich wieder im *Mann* verbissen hat, wie in der ersten Szene. Bedauernd gehen die *zwölf Gestalten* um ihn herum und von der Bühne ab. Sie beklagen, dass er schon wieder alles versucht, aber nichts bekommen hat. *Der Mann* bleibt allein zurück. Vorbei ist der (Alb-)Traum.

Die Glückliche Hand – Drama mit Musik und Libretto von Arnold Schönberg, vollendet 1913, uraufgeführt 1924 an der Wiener Volksoper. Das Werk dauert 20 Minuten.

Schönberg hielt diese Oper auf der Bühne für nicht aufführbar. In einem Brief an seinen Verleger Emil Hertzka plante er eine Verfilmung. Er machte zur Bedingung: „An der Musik wird nichts geändert!“

Da es aber 1913 und damit noch zur Stummfilmzeit war, sollte wahrscheinlich die Musik live mit einem Orchester vor der Leinwand gespielt werden. Vielleicht besteht die Oper deshalb aus so wenig Text.

Obwohl diese Oper selten aufgeführt wurde, gab es verschiedene Interpretationsversuche.

Privat: Schönberg befand sich während der Kompositionszeit in einer Ehekrise.

Beruflich: Eine ewige Sisyphusarbeit, die ein Künstler ständig vor und hinter sich hat.

Religiös: Die zwölf Stimmen stellen die Vertreter verschiedener philosophischer Standpunkte in der Jakobsleiter dar. Das sind die Stationen, die ein gläubiger Mensch durchlaufen muss, bis er im Allerheiligsten ankommt.

Test/Experiment: In dieser Zeit war Schönberg eng mit dem Maler Kandinsky befreundet, mit dem er Licht, Farbe und Personenführung austesten wollte.

Bei so vielen Deutungsmöglichkeiten können sich Regisseure entweder eine Interpretation aussuchen oder eine Neuinterpretation hinzufügen.

Die Liebe zu den drei Orangen – Sergei Prokofjew

Turbulente Märchenoper vom Prinzen, der nicht lachen kann. Eine Hexe verdammt ihn dazu, drei Orangen zu lieben. Sergei Prokofjew komponierte die Musik – größter Ohrwurm ist der schmissige Marsch.

Der Herold erklärt die Geschichte.

Der alte *König Treff* denkt an die Thronfolge und möchte lieber seinen Sohn als Nachfolger einsetzen, obwohl die aktive – wenn auch intrigante – Nichte *Clarisse* besser geeignet wäre. Sein Sohn nämlich leidet an der Prinzenkrankheit, die viele überbehütete und nicht geforderte Nichtsnutze befällt – an hypochondrischer Depression. Er kann sich über nichts freuen und reißt in seiner Begeisterung für diesen Zustand alle mit. Seine ganze Umgebung gefällt sich in trübsinniger Miesepetrigkeit. Diese Gesamtlage kann nur mit einer Medizin geheilt werden – herzlichem Lachen.

Sowohl der Prinz als auch Clarisse haben Verbündete mit magischen Kräften.

Als Gegenspieler wirken der gute Zauberer *Tschelio* und die böse Hexe *Fata Morgana.* Letztere steht natürlich auf der Seite der sich vordrängelnden Nichte mit ihrem Beinaheverlobten Leander. Die Guten – also Prinz und König – vertritt der edle Magier *Tschelio.* Die beiden machen die Sache unter sich aus. Beim Kartenspiel verliert *Tschelio* dreimal in Folge.

Nach Adam Riese müsste also das Böse gewinnen, wenn wir nicht ein Märchen auf der Bühne sähen, in dem das Gute traditionell den letzten Trumpf ausspielen darf.

Clarisse heuert Leander an, damit er ihr hilft, den Thron zu besteigen.

Dafür stellt sie ihm in Aussicht, ihn bei Erfolg zu heiraten. Sie denkt beim Königssohn an einen kurzen Prozess mit realem Gift. *Leander* möchte es lieber langsam angehen lassen - mit ungenießbarer Prosa und zermürbenden Gedichten. *Fata Morgana* schickt ihre Sklavin *Smeraldina* als Botschafterin, die ihnen verrät, dass der Magier *Tschelio* und der sich abmühende Hofnarr *Truffaldino* den Prinzen als Thronfolger bevorzugen. *Fata Morgana* möchte nicht direkt vor Volk und Hofstaat auftreten, kommt aber zum Fest, das den Prinzen von seiner Depression befreien soll. So kann sie sichergehen, dass der Prinz in ihrer Gegenwart nichts zu lachen hat.

Ein Lachfest für den traurigen Prinzen.

Auf dem Fest müht sich der Berufsspaßmacher *Truffaldino* mit allem ab, was die Fantasie des Regisseurs an feinen oder derben Späßen hergibt. Sowohl das gemeine Volk als auch der *Prinz* haben dafür nicht einmal ein müdes Achselzucken übrig. Das geht dem Possenreißer an seine Berufsehre. Vor lauter Frust packt er die neben ihm stehende *Fata Morgana* und prügelt auf sie ein, bis sie am Boden liegt und mit den Beinen in der Luft zappelt. Diese Ersatzhandlung ist nicht unbedingt die feine Art. Genauso wenig wie die Reaktion des *Prinzen*, die beweist, dass Schadenfreude die reinste Freude ist.

Er schüttelt sich vor Lachen, was sich zu einer ansteckenden Lacharie ausweitet und das ganze Volk mitreißt. Das macht eine gestandene Hexe wie *Fata Morgana* so wütend, dass sie den *Prinzen* verflucht. Er soll sich verlieben, und zwar in drei Orangen.

Eine ungeahnte Energie geht von dem vorher antriebsarmen Prinzen aus.

Er möchte sofort aufbrechen, um die drei Orangen zu finden. Das erstaunt den Vater, der befürchtet, dass seinem lebensuntüchtigen Sohn auf der Reise etwas zustoßen wird. Selbst gegen den überbesorgten Vater setzt sich der blindverliebte Romeo durch und zieht mit Vaters Segen und dem Spaßmacher *Truffaldino* als Aufpasser von dannen.

Allzeit bereite Waffe einer Köchin – der Suppenlöffel

Auf ihrer Reise verlieren sie die Orientierung. Sie treffen den guten Zauberer *Tschelio*, der ihnen den Weg zur bösen *Kreontas* weist, in deren Küche die drei Orangen von einer Köchin gefangen gehalten werden. Um der todbringenden Suppenlöffel-Waffe der *Köchin* zu entgehen, gibt *Tschelio* ihnen ein Zauberband mit. Wenn sie die Orangen befreien, dürfen sie die Früchte nur an Orten öffnen, an denen Wasser fließt. Wie immer im Märchen sind die Bedingungen sowohl unlogisch als auch schwer einzuhalten. Wozu braucht eine saftige Frucht fließendes Wasser? Sie werden es bald merken.

Der Prinz entführt die drei Orangen aus der Küche.

Sie entgehen – mit Hilfe des Zauberbandes – dem Suppenlöffel der rabiaten Köchin und damit ihrer Landung im Kochtopf.

Der Rückweg zusammen mit den drei Orangen führt durch eine Wüste.

Während der *Prinz* vor Erschöpfung einschläft, plagt *Truffaldino* der Durst. Als er eine der riesig gewordenen Orangen öffnet, steigt eine Prinzessin heraus, die ihn um Wasser bittet. Woher nehmen? Truffaldino öffnet die zweite Orange. Auch darin befindet sich eine Prinzessin kurz vor dem Verdursten.

In Panik ergreift der Schelm die Flucht. Als der Prinz erwacht, freut er sich über die verbliebene Prinzessin *Ninetta*, in die er weisungsgemäß verknallt ist. Da auch sie zu verdursten droht, hilft der Chor mit Wasser aus, damit das Spiel weitergehen kann. *Ninetta* geniert sich mit ihrer Garderobe, die nicht der Mode entspricht. Das versteht der Prinz und zieht los, um Kleidung zu holen. Das nutzt *Fata Morgana*, um *Ninetta* in eine Ratte zu verwandeln und gegen ihre Sklavin *Smeraldina* auszutauschen. Beim König angekommen, bemerkt der Prinz den Irrtum und weigert sich verbissen, die neue Frau zu heiraten. Dem Vater werden die Sperenzchen seines Sohnes zu bunt. Er spricht ein Machtwort und befiehlt ihm, die gegenwärtige Prinzessin zu heiraten.

Wie es für ein Märchen üblich ist, siegt das Gute über das Böse.

Fata Morgana, Clarisse, Leander und *Smeraldina* erfahren ein mehr oder weniger drastisches, genüßlich ausgespieltes Ende. *Tschelio* zaubert die Ratte zurück in die Prinzessin *Nicoletta*, die der Prinz sofort als seine zukünftige Frau wiedererkennt. Der König ist begeistert von seiner zukünftigen Schwiegertochter. Die Hofgesellschaft lässt König, Prinz und Prinzessin hochleben. Und wenn sie nicht gestorben sind …

Die Liebe zu den drei Orangen – Oper mit Musik von Sergei Prokofjew

Sergei Prokofjew erstellte das Libretto zusammen mit Véra Janocopulos in französischer Sprache, nach der literarischen Vorlage von Carlo Gozzi. Die Spieldauer der Oper beträgt ungefähr 2 Stunden. Die Uraufführung fand am 30. Dezember 1921 im Auditorium Theatre in Chicago statt.

Die Oper komponierte Prokofjew im Auftrag der Chicago Opera Company. Sie traf genau den amerikanischen Geschmack – bunt, fantasiereich, schwungvoll. Mitreißend ist der Marsch aus dem zweiten Satz. Seit der Uraufführung wurde die Oper schnell in den großen Opernhäusern der Welt nachgespielt. Am besten gefiel Prokofjew die Inszenierung in Leningrad. Die Berliner Inszenierung „germanisierte" seiner Meinung nach seinen Prinzen zu einem kleinen Sigfried nach Wagnermanier.

Bei der Inszenierung vom 2.12.2018 an der Staatsoper Stuttgart sehen die Opernbühne und Kostüme wie in einem Computerspiel aus. Auch die Sänger bewegen sich abgehackt, wie Figuren bei einer wackligen Datenleitung. Zu den Zwischenspielen wurden extra Trickfilme gedreht. Ob diese Inszenierung Prokofjew besser gefallen hätte?

Personen:

König Treff (Bass); *der Prinz*, sein Sohn (Tenor); *Prinzessin Clarisse* (Mezzosopran); *Leander* (Bariton, auch Bass); *Truffaldino*, ein Spaßmacher (Tenor); *Pantalon* (Bariton); *Tschelio*, Zauberer u. Beschützer des Königs (Bariton); *Fata Morgana*, Zauberin (Dramatischer Sopran); *Linetta* (Alt); *Nicoletta* (Mezzosopran); *Ninetta* (Sopran); *die Köchin* (Bass [mit rauer Stimme]); *Farfarello*, ein Teufel (Bass); *Smeraldine* (Soubrette, auch Mezzosopran); *Zeremonienmeister* (Tenor); *der Herold* (Bass)

Die Meistersinger von Nürnberg – Richard Wagner

Diese Oper handelt von einem ungewöhnlichen Leistungsnachweis, den der zukünftige Schwiegersohn des Goldschmieds erbringen muss. Nur der beste Sänger darf seine Tochter heiraten.

Erster Akt: Katharinenkirche in Nürnberg

Der reiche Goldschmied *Veit Pogner* hat eine Tochter im heiratsfähigen Alter. Für seine *Eva* wünscht er sich nur den Allerbesten. Er will sie demjenigen Meister zur Frau geben, der beim bevorstehenden Wettsingen der Meistersinger von Nürnberg den Preis „Das schöne Fest Johannistag" gewinnt. Sollte sie den Preisträger als Ehemann ablehnen, muss sie ledig bleiben. Doch was passiert? Ausgerechnet in den eben zugereisten *Walther von Stolzing* muss sie sich verlieben (und er in sie) und will nur noch ihn und sonst keinen.

Trotzdem muss vorher die vom Vater beschlossene Bedingung für die Eheschließung erfüllt werden. Sowohl für *Evchen* als auch für *Walther von Stolzing* geht es jetzt um alles. Bei *David*, dem Schustergesellen, nimmt *Stolzing* Nachhilfeunterricht über die komplizierten Rituale in der Zunft der Meistersinger.

Um aufgenommen zu werden, muss er ein Probelied vorsingen. *Walthers* verliebter Beitrag „Fanget an – so rief der Lenz in den Wald" war bisher in dieser Form in der Zunft nicht üblich. Von den übrigen Meistern wird das Lied mit Befremden aufgenommen. Schlimmer noch – der „Merker" *Sixtus Beckmesser*, der sich schon als *Pogners* Schwiegersohn sah, kreidet ihm jeden Formfehler an. Also – durchgefallen!

Nur dem dichtenden Schuhmachermeister *Hans Sachs* gefallen die neuen Töne: „Halt, Meister! Nicht so geeilt!"

Dauer des 1. Aktes: etwa 90 Minuten

Zweiter Akt: Straße in Nürnberg

In der lauen Sommernacht sinniert *Hans Sachs* über *Walthers* Lied „und war doch kein Fehler drin. – Es klang so alt und war doch so neu", als *Evchen* zu ihm kommt, um ihn um Hilfe zu bitten. *Hans Sachs* hatte sich zwar auch Chancen ausgerechnet, kapituliert aber vor *Evchens* Verliebtheit. Auch *Walther von Stolzing* ist unterwegs. Da er sich auf den ersten Platz im Sängerwettstreit keine Chancen mehr ausrechnet, probiert er es anders herum. Er möchte *Eva* überreden, mit ihm zu fliehen.

Beckmesser gibt ebenfalls nicht auf, stellt sich unter *Evchens* Fenster in Positur und bringt ihr ein Ständchen. Vom Titel her „Jerum, jerum, hallo, hallo, he" könnte er damit auch in jeder aktuellen Hitparade an die Spitze kommen. Dummerweise steht an *Evas* Platz ihre Freundin *Magdalene*, *Davids* große Liebe. Außerdem genießt *Hans Sachs* noch in Hörweite den milden Sommerabend. Bei jedem von *Beckmessers* Formfehlern schlägt er mit seinem Schusterhammer zu, bis die Pausen dazwischen immer kürzer werden. Das weckt sowohl *David*, der einen Nebenbuhler um seine *Magdalene* vermutet, als auch die schlafenden Bürger auf. Gemeinsam verprügeln sie erst *Beckmesser*, dann sich gegenseitig selbst. Diese turbulente „Prügelszene" erfreut nicht nur die Zuschauer, sondern auch den Opernchor – ein Fest für kreative Regisseure. Leider setzt der *Nachtwächter* dem Treiben ein frühes Ende.

Dauer des 2. Aktes: etwa 60 Minuten

Dritter Akt: Sachs' Werkstatt und Schreibstube

Hans Sachs hat im Rückblick auf den gestrigen Prügelabend nur noch seinen Wahnmonolog übrig „Wahn, Wahn, überall Wahn", während *Walther* seinen schönen Traum in Verse fasst. Mit *Sachs'* Hilfe wird daraus ein Meisterlied, das sich an die Regeln der Zunft hält.

Diese Aufzeichnungen findet *Beckmesser*, der darin das Bewerbungslied von *Hans Sachs* sieht – noch ein Nebenbuhler. *Sachs* schenkt ihm den Text, *Beckmesser* steckt ihn ein, verschwindet und ist sich damit seines Sieges sicher.

Hans Sachs führt – schweren Herzens – *Eva* und *Walter* zusammen, ebenso das Paar *David* und *Magdalene*. Vor lauter Glück über so viel Wunscherfüllung gelingt *Walther* noch die letzte Strophe seines Liedes, das *Sachs* die „Selige Morgentraum-Deutweise" nennt. *Eva* singt „Selig, wie die Sonne meines Glückes lacht …".

Dritter Akt, letzte Szene: Festwiese von Nürnberg

Hans Sachs als Lokalmatador wird vom Volk bejubelt „Silentium! … Wach auf, es nahet gen den Tag …".

Zum eigentlichen Sängerduell tritt *Beckmesser* als Erster an. Da er noch eine Melodie komponieren musste, blieb kaum Zeit, den Text zu lernen. Weder das eine noch das andere gefällt den Leuten, was sie ihm unverblümt zu verstehen geben. Das macht *Beckmesser* so wütend, dass er *Hans Sachs* beschuldigt, ihm diese Knittelverse untergejubelt zu haben, um ihn bloßzustellen. Dem widerspricht *Sachs* entschieden.

Er stellt klar, dass dieses Lied eine Eigenschöpfung von *Walther von Stolzing* ist, der es gleich allen vorführen wird.

Mit „Morgenlicht leuchtend im rosigen Schein …“ überzeugt *Walther von Stolzing* Volk und Meister von seiner Sangeskunst. Mit dem sicheren Sieg in der Tasche lehnt er sogar trotzig die Aufnahme in der Meisterzunft ab „… will ohne Meister selig sein!“

Bevor es zu einem erneuten Eklat kommt, stimmt *Sachs* das Lied an, mit dem sich alle identifizieren können: „Verachtet mir die Meister nicht, und ehrt mir ihre Kunst!“ Alle Mitwirkenden auf der Bühne stimmen *Sachs* – endlich, nach viereinhalb Stunden Musik – euphorisch zu: „Heil! Sachs! Nürnbergs teurem Sachs!“

Dauer des 3. Aktes: etwa 120 Minuten

Die Meistersinger von Nürnberg - Oper in drei Aufzügen mit Musik und Libretto von Richard Wagner. Die wohl längste Oper umfasst viereinhalb Stunden Musik – ein Kraftakt für Sänger und Orchester. Das Spektakel wurde am 21. Juni 1868 in München uraufgeführt.

Die markante Stelle mit Sachs‘ Schusterhammer beruht auf Wagners eigener leidiger Erfahrung. Er versuchte zu komponieren, jedoch ein Schmied in der Nähe bearbeitete seinen Amboss total unrhythmisch. Wagner konnte keinen klaren Gedanken fassen, bis er diesen (Un-)Rhythmus zu Notenpapier brachte und weiter ausschmückte. Die Prügelszene soll ebenfalls - nach Beobachtungen aus seinem Fenster - entstanden sein.

Personen:

Hans Sachs, Schuster (Bassbariton); *Veit Pogner*, Goldschmied (Bass); *Kunz Vogelsang*, Kürschner (Tenor); *Konrad Nachtigall*, Spengler (Bass); *Sixtus Beckmesser*, Stadtschreiber (Bariton); *Fritz Kothner*, Bäcker (Bass); *Balthasar Zorn*, Zinngießer (Tenor); *Ulrich Eislinger*, Würzkrämer (Tenor); *Augustin Moser*, Schneider (Tenor); *Hermann Ortel*, Seifensieder (Bass); *Hans Schwarz*, Strumpfwirker (Bass); *Hans Foltz*, Kupferschmied (Bass); *Walther von Stolzing*, ein junger Ritter aus Franken (Tenor); *David*, Sachs' Lehrbube (Tenor); *Eva*, Pogners Tochter (Sopran); *Magdalena*, Evas Amme (Sopran); *Nachtwächter* (Bass)

Die Walküre – Richard Wagner

Auch diese Oper - der erste Tag im „Ring des Nibelungen“ - hat eine Vorgeschichte: *Fafner* hat sich mit dem Goldschatz in eine Höhle zurückgezogen und sich mittels des Zauberringes in einen Drachen verwandelt. Zwar vergeht laut Richard Wagner zwischen dem Rheingold und der Walküre nur ein Tag, aber es passiert verdammt viel in diesen vierundzwanzig Stunden.

Im Raum steht der von *Urmutter Erda* angekündigte Untergang der Götter. Der Testosteron-gesteuerte *Wotan* löst das Problem auf seine Weise. Er versucht von *Erda* den genauen Ablauf der Götterdämmerung zu erfahren und zeugt nebenbei mit ihr neun Töchter, von denen *Brünnhilde* sich zu seinem Liebling entwickelt. Sie verbindet *Erda*s Weisheit mit *Wotan*s Stärke.

Da aber von *Alberich* Gefahr droht, macht sich Wotan als ewiger Wanderer (erkennbar an der Augenklappe) auf den Weg, gründet mit einer Menschenfrau eine neue Familie, die Wälsungen, die er nach der Geburt der Zwillinge *Siegmund* und *Sieglinde* verlässt. Schon früh werden die Zwillinge getrennt und wachsen in feindlichen Lagern auf. *Sieglinde* wird später an *Hunding* verschachert. *Siegmund* kann aus der Gefangenschaft fliehen.

Erster Aufzug – Sieglinde findet ihren Zwillingsbruder; Hunding findet seinen Feind im eigenen Haus; Siegmund findet das Schwert Nothung

Auf seiner Flucht erhält *Siegmund* ausgerechnet in *Hundings* Hütte Unterschlupf, wo er erschöpft zusammenbricht.

Sieglinde kuriert den Erschöpften mit frischem Wasser. Sie schauen sich in die Augen, und schon funkt es bei beiden. Noch wissen sie nichts voneinander.

Das ändert sich, als *Hunding* von der vergeblichen Jagd auf einen Flüchtling zurückkommt. Er fragt *Siegmund* aus und erkennt, dass er den Gesuchten vor sich hat, genießt die Bosheit, ihn noch zappeln zu lassen, da das Gastrecht ihm gebietet, selbst einen Feind eine Nacht zu beherbergen. Vorsichtshalber nimmt er nicht nur *Sieglinde*, sondern auch alle Waffen mit, bevor er sich zurückzieht.

Sieglinde erkennt ihre Chance, mixt *Hunding* einen Schlaftrunk und schleicht sich zu *Siegmund*, der schon sinnend vor einem funkelnden Schwertknauf wartet. Er erinnert sich daran, dass sein Vater ihm für die höchste Not ein Schwert namens Nothung versprochen hat. *Sieglinde* erzählt ihm, dass einmal ein Fremder bei ihrer Hochzeit dieses Schwert in die Esche schlug. Es solle demjenigen gehören, der es herauszieht. Weder *Hunding* noch irgendein Mann seines Stammes hat das Schwert bewegen können. *Sieglinde* und *Siegmund* erkennen hiermit ihre Geschichte und – ganz der Vater – zeugen noch schnell Siegfried („so blühe denn Wälsungenblut“). *Siegmund* zieht das Schwert Nothung aus dem Stamm. Beide stürmen hinaus in den sonnigen Frühlingsmorgen.

Dauer des 1. Aufzugs: circa 65 Minuten

Zweiter Aufzug – Frickas Sieg über Wotan; Brünnhilde missachtet Wotans Gebot; Siegmunds Tod

Wotan weist seine Lieblingstochter *Brünnhilde* an, beim bevorstehenden Kampf *Siegmund* siegen, *Hunding* jedoch verlieren zu lassen.

Brünnhilde verzieht sich vorsichtshalber, denn schon rauscht *Wotan*s rechtmäßige Gattin *Fricka* heran. *Fricka*, die sich als Göttin der Familie sieht, hat vom Ehebruch und der inzestuösen Geschwisterliebe Wind bekommen.

Ebenso stört es sie, dass *Wotan Siegmund* – der zwar sein Sohn, aber nicht ihr Sohn ist – im Kampf gegen *Hunding* zum Sieg verhelfen will. Beides lehnt sie aus moralischen Gründen ab. *Wotan* ist wegen seines chronisch schlechten Gewissens in einer miesen Verhandlungsposition, was *Fricka* gekonnt ausnutzt. Um nicht noch mehr Staub aufzuwirbeln, verspricht er seiner Frau, *Siegmund* im Kampf gegen *Hunding* verlieren zu lassen.

Bei *Brünnhilde* macht *Wotan* seinen vorigen Befehl wieder rückgängig und lässt seinen angestauten Ärger über die Niederlage aus. *Siegmund* sollte seine lebende Waffe gegen die Nibelungen sein, denn die bedrohen immer noch Walhall. Das sieht *Brünnhilde* genauso, kündigt aber als brave Tochter *Siegmund* den Tod als freudiges Ereignis an, denn er darf danach in die Götterburg Walhall einziehen. Als *Siegmund* erfährt, dass seine *Sieglinde* nicht mitkommt, verzichtet er auf Walhall, den Traum aller Helden. Sein Verzicht wiederum rührt die Kriegerin so sehr, dass sie *Siegmund* im Kampf gegen *Hunding* beisteht. Diese Befehlsverweigerung geht *Wotan* zu weit. Mit seinem Speer zerstört er *Siegmund*s Schwert Nothung; *Hunding* sticht *Siegmund* nieder; *Wotan* tötet *Hunding* aus Verärgerung über seine missliche Lage mit einem göttlichen Fingerzeig. *Brünnhilde* schnappt sich die ohnmächtige *Sieglinde* und das zerbrochene Schwert.

Mit beiden flieht sie vor *Wotan*s Zorn nach Walhall zu ihren Schwestern. Wotan braust, von Donner und Blitz begleitet, hinterher.

Dauer des 2. Aufzugs: circa 80 Minuten

Dritter Aufzug – Walkürenritt; Sieglinde flieht mit dem Schwert Nothung; Brünhilde schläft im Feuerreif

Gleich am Anfang des dritten Aufzugs ertönt (endlich!) das Hojotoho des Walkürenritts, bekannt aus Handys, Film und Fernsehen. Jauchzend sammeln die Walküren nach jedem Schlachtengetümmel besonders tapfere tote Kämpfer ein, um sie nach Walhall, dem Traum aller Kriegshelden, zu begleiten. *Brünnhilde* kommt mit *Sieglinde* geritten, um sie hier zu verstecken. Dafür fehlt den Walküren allerdings entweder die Solidarität oder der Mut, denn schon hört man *Wotan* nahen. Also schickt *Brünnhilde* die erschöpfte *Sieglinde* in den Fafnerwald, den *Wotan* aus bekannten Gründen meidet. Vorher verkündigt sie ihr die Geburt eines Sohnes. (Vielleicht weiß *Brünnhilde* schon zu diesem Zeitpunkt, dass er einmal ihr Ehemann wird.) Die zerborstenen Teile des Schwertes Nothung, das den Heranwachsenden unbesiegbar machen soll, bekommt *Sieglinde* mit auf den Weg.

Brünnhilde versteckt sich zwischen den Walküren, wird aber von dem rasenden *Wotan* entdeckt. Auf das Nichtbeachten seines Befehls erhält sie die schlimmste vorstellbare Strafe – sie verliert ihren göttlichen Status und wird ein normales „Weib“. Sie soll als leichte Beute dem nächstbesten Mann gehören, der sie findet. Mit einer derart drakonischen Strafe haben die Walküren nicht gerechnet.

Panisch sprengen sie in verschiedene Richtungen auseinander. *Brünnhilde*, die Tochter der klugen *Erda*, verhandelt. Sie argumentiert, dass sie *Wotan*s ersten Befehl befolgte. Außerdem brauchte *Wotan Siegmund*, um *Alberich* Paroli bieten zu können. Und schließlich – war denn ihr Tun wirklich so schlimm? *Wotan* muss sich eingestehen, dass *Brünnhilde* seine geheimsten Gedanken erraten hat.

Da er aber durch einen Rückzieher seine Autorität verlieren würde, mildert er die Strafe ab. Er versenkt *Brünnhilde* in einen tiefen Schlaf, legt einen Feuerreif um sie herum und bestimmt, dass nur ein Held das Feuer durchschreiten kann, der *Wotan*s Speerspitze nicht fürchtet. Damit ist gewährleistet, dass nur ein ebenbürtiger Held *Brünnhilde* zur Frau nehmen kann.

Dauer des 3. Aufzugs: circa 75 Minuten

Die mit Text und Musik von Richard Wagner ist nach dem Vorspiel **Das Rheingold** der erste Tag der Operntetralogie „**Der Ring des Nibelungen**“. Es folgen die beiden Musikdramen **Siegfried** und **Götterdämmerung**. Die Uraufführung fand am 26. Juli 1870 im Königlichen Hof- und Nationaltheater München statt.

Personen: *Siegmund* (Tenor); *Hunding* (Bass); *Wotan* (Bariton); *Sieglinde* (Sopran); *Fricka* (Mezzosopran);

Die Walküren: *Brünnhilde* (Sopran); *Helmwige* (Sopran); *Gerhilde* (Sopran); *Ortlinde* (Sopran); *Waltraute* (Mezzosopran); *Siegrune* (Mezzosopran); *Roßweiße* (Mezzosopran); *Grimgerde* (Alt); *Schwertleite* (Alt)

Die Zauberflöte – Wolfgang Amadeus Mozart

Mit Regieanweisungen sind original von Schikaneder

Die Zauberflöte gehört zu den weltweit meist aufgeführten Opern. Schon die Uraufführung war von der Ausstattung her äußerst opulent. Regisseure, Bühnenbildner und Kostümbildner kennen für ihre Kreativität nur eine Grenze – den Etat. Daran hat sich bis zum heutigen Tag nichts geändert.

Die Anweisungen für Bühnenbild und Kostüme zu den einzelnen Szenen sind dem Original-Libretto von Emanuel Schikaneder entnommen.

Die Königin der Nacht überredet den Prinzen *Tamino*, ihre Tochter aus dem Tempel des Priesters *Sarastro* zu befreien. Das läuft anders als gedacht. *Tamino* lernt den Priester *Sarastro* wegen seiner Weisheit zu schätzen und läuft mit fliegenden Fahnen zu ihm über. Außerdem verliebt er sich in *Pamina*. *Papageno*, der ihm helfen soll, erscheint immer zum ungünstigsten Zeitpunkt.

Erster Akt – Tamino und Papageno suchen und finden Pamina.

1. Szene: *„Das Theater ist eine felsichte Gegend, hie und da mit Bäumen überwachsen; auf beyden Seiten sind gangbare Berge, nebst einem runden Tempel. Tamino kommt in einem prächtigen japonischen Jagdkleide rechts von einem Felsen herunter, mit einem Bogen, aber ohne Pfeil; eine Schlange verfolgt ihn.“*

Die Königin der Nacht lässt Tamino von einer Schlange verfolgen und die Schlange von ihren Dienerinnen töten.

Davon hat Tamino nicht viel mitbekommen, denn der Held fiel ob der Gefahr in Ohnmacht.

Als er wieder erwacht, steht Papageno (*Der Vogelfänger bin ich ja*) vor ihm, der behauptet, die Schlange getötet zu haben. Die drei Dienerinnen verschließen dem Großmaul daraufhin den Mund. Sie zeigen dem entzückten Tamino das Bildnis der entführten Pamina (*Dies Bildnis ist bezaubernd schön*). Die Königin der Nacht tritt auf, erzählt ihm, dass sich ihre Tochter in den Klauen der Götter befindet, und fordert ihn auf, sie zu befreien. Als Werkzeug bekommt er eine goldene Zauberflöte und den widersprechenden – mit einem Glockenspiel ausgerüsteten – Papageno mit. Drei Knaben zeigen Tamino und Papageno den Weg.

2. Szene: *„Zwey Sclaven tragen, so bald das Theater in ein prächtiges ägyptisches Zimmer verwandelt ist, schöne Pölster nebst einem prächtigen türkischen Tisch heraus, breiten Teppiche auf, sodann kommt der dritte Sclav."*

Inzwischen wird die entführte *Pamina* in *Sarastros* Palast von dem Mohren *Monostatos*, der sie bewachen soll, der Einfachheit halber gefesselt. Sie reagiert mit einem Ohnmachtsanfall. Der pfiffige *Papageno* hat sie entdeckt und damit den ängstlichen *Monostatos* in die Flucht geschlagen. Er hält *Papageno* in seinem Federkleid schlichtweg für den Teufel. *Papageno* erzählt Pamina von der geplanten Rettungsaktion und von *Taminos* Fernliebe zu ihr. Gleichzeitig beklagt *Papageno* sich über seinen Mangel an Liebe (*Bei Männern, welche Liebe fühlen*). Beide fliehen.

3. Szene: *„Das Theater verwandelt sich in einen Hayn. Ganz im Grunde der Bühne ist ein schöner Tempel, worauf diese Worte stehen:*

Tempel der Weisheit; dieser Tempel führt mit Säulen zu zwey andern Tempeln; rechts auf dem einen steht: Tempel der Vernunft. Links steht: Tempel der Natur."

Die drei Knaben führen *Tamino* zu den drei Tempeln. Sie beherbergen die Vernunft, die Natur und die Weisheit. Im Tempel der Weisheit erhält *Tamino* Auskunft über *Pamina* und *Sarastro*. *Papageno* und *Tamina* treten auf, gefolgt von *Monostatos*, der sich inzwischen von dem Schrecken erholt hat. Auch *Sarastro* erscheint, tadelt das Verhalten seines Dieners gegenüber *Tamino*, lässt sie aber nicht gehen. *Tamino* und *Pamina* verlieben sich – jetzt ganz real –ineinander. Um in die weiteren Gemächer des Palastes eingelassen zu werden, müssen *Papageno* und *Tamino* erst ein Aufnahmeritual im Prüfungstempel ablegen.

Zweiter Akt – Tamino besteht die drei Prüfungen und darf Pamina zur Frau nehmen.

1. Szene: *„Das Theater ist ein Palmwald; alle Bäume sind silberartig, die Blätter von Gold. 18 Sitze von Blättern; auf einem jeden Sitze steht eine Pyramide, und ein großes schwarzes Horn mit Gold gefasst. In der Mitte ist die größte Pyramide, auch die größten Bäume. Sarastro nebst andern Priestern kommen in feyerlichen Schritten, jeder mit einem Palmzweige in der Hand. Ein Marsch mit blasenden Instrumenten begleitet den Zug."*

In einem Palmenwald erhält *Sarastro* von den Göttern die Auskunft, dass *Tamino* und *Pamina* ein Paar werden dürfen (*O Isis und Osiris*). Unter der Bedingung, dass *Pamina* nicht mehr zu ihrer Mutter zurückkehrt.

2. Szene: *„Nacht, der Donner rollt von weitem. Das Theater verwandelt sich in einen kurzen Vorhof des Tempels, wo man Ruinen von eingefallenen Säulen und Pyramiden sieht, nebst einigen Dornbüschen. An beyden Seiten stehen practicable hohe altägyptische Thüren, welche mehr Seitengebäude vorstellen.“*

Die erste Prüfung *Taminos* und *Papagenos* besteht darin, schweigsam zu bleiben, egal was passiert. Die drei Dienerinnen der *Königin der Nacht* treten auf. *Tamino* bleibt stumm, aber *Papageno* plappert.

3. Szene: *„Das Theater verwandelt sich in einen angenehmen Garten; Bäume, die nach Art eines Hufeisens gesetzt sind; in der Mitte siebt eine Laube von Blumen und Rosen, worin Pamina schläft. Der Mond beleuchtet ihr Gesicht. Ganz vorn steht eine Rasenbank, Monostatos kommt, setzt sich nach einer Pause.“*

Monostatos schleicht sich im Garten an die schlafende *Pamina* heran. Er ist in sie verliebt und möchte seine Chance nutzen – wie auch immer. Bevor er zuschlägt, erscheint die *Königin der Nacht*. Sie kann ihre Tochter zwar nicht mitnehmen, übergibt ihr aber einen Dolch, damit sie *Sarastro* ermordet (*Der Hölle Rache kocht in meinem Herzen*).

Monostratos sieht das als seine Chance, *Pamina* zu erpressen. Wenn sie ihn abweist, wird er den Mordplan verraten. *Sarastro* kommt, um nach dem Rechten zu sehen und vertreibt damit den Rachepläne schmiedenden *Monostatos*.

4. Szene: *„Das Theater verwandelt sich in eine Halle, wo das Flugwerk gehen kann. Das Flugwerk ist mit Rosen und Blumen umgeben, wo sich sodann eine Thüre öfnet.“*

In der zweiten Prüfung lautet die Aufgabe ebenfalls: Schweigen! *Papageno* spricht sofort eine alte Frau an, die ihm Wasser reicht. *Tamino* schweigt. *Pamina* tritt auf und spricht ihn an. *Tamino* schweigt. *Pamina* interpretiert das als ein Zeichen von Gleichgültigkeit und trauert. *Tamino* schweigt – wenn auch unter sichtlichen Qualen. Die drei Knaben bringen ihnen die Zauberflöte und das Glockenspiel.

5. Szene: *„Das Theater verwandelt sich in das Gewölbe von Pyramiden. Sprecher und einige Priester. Zwey Priester tragen eine beleuchtete Pyramide auf den Schultern; jeder Priester hat eine transparente Pyramide in der Größe einer Laterne in der Hand.“*

Die Priester besingen *Taminos* Tugend. *Sarastro* zeigt sich ebenfalls begeistert von *Taminos* Standhaftigkeit und kündigt zwei weitere Prüfungen an. Dafür müssen sich *Tamino* und *Papageno* allerdings trennen.

6. Szene: *„Papageno kommt an die Thüre, wo Tamino abgeführt worden ist.“*

Papageno langweilt sich allein. Da erscheint die alte Frau ihm wieder und kündigt ihm an, dass die Strafe aufgehoben wird. Sie verwandelt sich in eine schöne, junge Papagena. Allerdings ist sie für *Papageno* unerreichbar.

7. Szene: *„Das Theater verwandelt sich in einen kurzen Garten.“*

Währenddessen verfällt Pamina im Garten in Depressionen. Sie meint, dass *Tamino* sie nicht mehr liebt. In ihrem Liebeskummer fällt ihr Blick auf den Dolch, den die *Königin der Nacht* ihr für die Ermordung *Sarastros* dagelassen hat. Bevor sie sich damit umbringt, schreiten die drei Knaben ein.

8. Szene: *„Das Theater verwandelt sich in zwey grosse Berge; in dem einen ist ein Wasserfall, worin man sausen und brausen hört; der andre speyt Feuer aus; jeder Berg hat ein durchbrochenes Gegitter, worin man Feuer und Wasser sieht; da, wo das Feuer brennt, muss der Horizont hellroth seyn, und wo das Wasser ist, liegt schwarzer Nebel. Die Scenen sind Felsen, jede Scene schließt sich mit einer eisernen Thüre.*

Tamino ist leicht angezogen ohne Sandalien. Zwey schwarz geharnischte Männer führen Tamino herein. Auf ihren Helmen brennt Feuer, sie lesen ihm die transparente Schrift vor, welche auf einer Pyramide geschrieben steht. Diese Pyramide steht in der Mitte ganz in der Höhe nahe am Gegitter.“

Tamino und *Pamina* treffen sich im Tempel. Sie dürfen miteinander sprechen und sich sogar umarmen. Mithilfe der Zauberflöte legen sie die letzten Prüfungen ab – Steine, Feuer und Wasser müssen sie besiegen.

9. Szene: *„Das Theater verwandelt sich wieder in vorigen Garten.“*

Auch *Papageno* hegt Weltuntergangsgedanken. Seine *Papagena* ist verschwunden. Er glaubt, dass er sie niemals wiedersehen wird. Auch hier wissen die drei Knaben Rat. Sie reichen ihm das verzauberte Glockenspiel, mit dem er *Papagena* herbeilocken kann. Tatsächlich kommt *Papagena* (*Pa – Pa – Pa – Pa – Pa – Pa – Papagena!*). Sie umarmen sich und wünschen sich viele Kinder.

10. Szene: *„Der Mohr, die Königinn mit allen ihren Damen, kommen von beyden Versenkungen; sie tragen schwarze Fackeln in der Hand.“*

Die *Königin der Nacht* sinnt auf Rache, *Monostatos* ebenfalls. Wenn *Monostatos* den Tempel zerstört, erhält er von der *Königin der Nacht* als Lohn *Pamina* zur Frau. Der Versuch schlägt fehl. Beide kommen um.

„Man hört den stärksten Accord, Donner, Blitz, Sturm. Sogleich verwandelt sich das ganze Theater in eine Sonne. Sarastro steht erhöht; Tamino, Pamina, beyde in priesterlicher Kleidung. Neben ihnen die ägyptischen Priester auf beyden Seiten. Die drey Knaben halten Blumen."

Wenn alles am Boden liegt, führt *Sarastro* zu guter Letzt *Pamina* und *Tamino* als Paar zusammen.

Die Zauberflöte ist eine große Oper in 2 Akten mit Musik von Wolfgang Amadeus Mozart (KV 620). Das Libretto schrieb Emanuel Schikaneder (1751-1812) nach einer Vorlage des Märchens „Lulu oder die Zauberflöte" von August Jacob Liebeskind. Uraufgeführt wurde die Zauberflöte am 30. September 1791 in Wien. Die Spielzeit beträgt circa 3 Stunden.

Personen: *Sarastro* (Bass); *Tamino* (Tenor); *Sprecher* (Bass); *Erster Priester* (Tenor); *zweiter Priester* (Bass); *dritter Priester* (Sprechrolle); *Königin der Nacht* (Sopran); *Pamina*, ihre Tochter (Sopran); *erste Dame* (Sopran); *zweite Dame* (Sopran); *dritte Dame* (Alt); *erster Knabe* (Sopran); *zweiter Knabe* (Sopran); *dritter Knabe* (Alt); *Papageno* (Bariton); *Papagena* (Sopran); *Monostratos*, ein Mohr (Tenor); *erster Geharnischter* (Tenor); *zweiter Geharnischter* (Bass); *drei Sklaven* (Sprechrollen); Priester, Sklaven, Gefolge (Chor)

Don Giovanni – Wolfgang Amadeus Mozart

Die Oper erzählt die Geschichte von Don Juan, dem Frauenverführer. Heute würde man ihn sexsüchtig nennen, denn Don Giovanni geht es lediglich darum, eine Frau in die Horizontale zu bekommen. Dabei ist ihm jedes Mittel recht – von Heiratsversprechen bis hin zu Gewalt. Hat er das geschafft, erlischt sein Interesse augenblicklich. Er selbst empfindet nichts, setzt aber durch seine Verführungskünste in den Frauen zarte Gefühle frei. Wie jeder richtige Triebtäter liebt er das Schwierige mehr als das Einfache. Die höchste Aufmerksamkeit erregen bei ihm Jungfrauen.

Erster Akt – *Don Giovannis* Lebenswandel

Während *Leporello* noch Schmiere steht, kommt *Don Giovanni* aus dem Haus gerannt, gefolgt von *Donna Anna*, die ihn für Ihren Verlobten hält und den Irrtum zu spät bemerkt. Ihr Vater, der *Komtur*, eilt ihr zu Hilfe. Im Tumult mit entsprechender Degenszene tötet *Don Giovanni* den *Komtur*. Er betrachtet es eher als ungewollten Betriebsunfall. *Donna Anna* ist entsetzt und beschwört ihren hinzugekommenen Verlobten *Don Ottavio*, den Mord zu rächen.

Don Giovanni wittert schon wieder eine Frau, die es neu zu erobern gilt. Ausgerechnet *Donna Elvira* muss ihm nach dieser ungeplanten Mordgeschichte über den Weg laufen. Die meisten Frauen ziehen sich zurück. Nicht so *Donna Elvira*. Sie hat seinem Eheversprechen geglaubt und reist hinter ihm her, um zu erfahren, warum er sie am vierten Tag sitzen ließ. Sie erkennt ihn sofort wieder, im Gegensatz zu *Don Giovanni*, der lieber die Flucht ergreift und das Feld *Leporello* überlässt, der schon wieder alles glätten wird.

Wie das *Leporello* zu seinem Namen kam

Wer kennt es nicht, dieses wie eine Ziehharmonika gefaltete Endlospapier, verwendet für Landschaftsfotos über chinesische Glückssprüche bis zu aufstellbaren Kinderbüchern? Seinen Namen erhielt das *Leporello* nach der folgenden Szene:

Als *Leporello* mit *Donna Elvira* allein ist, klärt er sie in seiner „Registerarie" über seinen Herrn auf. Er zeigt ihr seine Buchführung über die „Eroberungen" *Don Giovannis* auf einem Zickzack-Papier, das immer länger und länger wird. Das sitzt. *Donna Elvira* schwört Rache.

Inzwischen sieht *Don Giovanni* die Hochzeitsgesellschaft von *Zerlina* und *Masetto*. Natürlich möchte er die Braut sofort für sich erobern, aber da treten *Donna Anna* und ihr Verlobter *Don Ottavio* auf der Suche nach dem Mörder auf, sowie *Donna Elvira*, die ihm Vorwürfe macht. Er erklärt sie für verrückt und verschwindet. *Donna Anna* erkennt ihn an der Stimme als den Mörder ihres Vaters.

Don Giovanni lässt durch *Leporello* die ganze Hochzeitsgesellschaft in seinen Palast zu einem Fest einladen, um besser an Zerlina heranzukommen. *Donna Elvira, Donna Anna* und *Don Ottavio* kommen ebenfalls, mit Masken verkleidet. Mit der Arie „Reich mir die Hand, mein Leben" und einem tiefen Blick in die Augen schafft es *Don Giovanni, Zerlina* ins Nebenzimmer zu bugsieren, während *Leporello* ihren Bräutigam ablenkt. Als *Zerlina* bemerkt, worauf sie sich eingelassen hat, stößt sie einen Hilfeschrei aus, bei dem alle Gäste gerannt kommen.

Don Giovanni versucht zwar noch, die Schuld auf *Leporello* zu schieben, aber niemand glaubt ihm – ihm bleibt also nur die Flucht.

Zweiter Akt – *Don Giovannis* Strafe

Widerwillig bleibt *Leporello* bei seinem Herrn und tauscht mit ihm die Kleider. Er schafft es, ihn aus jeder Patsche herauszuholen. Zu gut sind sie aufeinander eingespielt.
Donna Elvira naht, und Don Giovanni versteckt sich. Er singt ihr ein Liebeslied vor, während *Leporello* seine Bewegungen nachahmt. Wie jede Frau fällt auch sie darauf herein, ist mit *Leporello* abgelenkt, und *Don Giovanni* kann sich in weitere Abenteuer stürzen. Ausgerechnet in *Masettos* Arme muss er laufen. Der hat eine Schar Freunde mobilisiert, um nach *Don Giovanni* zu suchen und die verletzte Ehre seiner *Zerlina* zu rächen. In Gestalt seines Dieners schickt der die Schar in verschiedene Richtungen, entwaffnet *Masetto* und verprügelt ihn. *Zerlina* findet Masetto; beide versöhnen sich und beschließen, sich für die Vergewaltigung und die Schläge zu rächen.

Ebenso wollen *Donna Anna* und *Don Ottavio* den Tod des Vaters rächen. Sie stürzen sich auf *Leporello*. *Donna Elvira* will ihren vermeintlichen Verlobten schützen, der sich aber als sein Diener zu erkennen gibt und aus dem Staub macht.

Auf dem Friedhof, direkt unter der Statue des *Komturs*, treffen sich Herr und Diener wieder. Der steinerne Mann beginnt zu sprechen und warnt *Don Giovanni*. Der aber lacht nur und lädt den *Komtur* zum Essen ein – und die Statue sagt tatsächlich zu. Daheim wartet *Don Giovanni* vergnügt auf seinen Gast. Der kommt tatsächlich, begleitet von plötzlich einsetzenden Posaunenklängen des Orchesters und *Leporellos* Angstschreien.

Nochmals fordert der *Komtur Don Giovanni* auf, seinen Lebenswandel zu ändern. Als der trotzig verneint, öffnen sich – je nach Inszenierung – die Pforten zur Hölle, und *Don Giovanni* verschwindet - meist mehr als weniger - theatralisch.

Don Giovanni, Oper in zwei Akten in italienischer Sprache mit Musik von Wolfgang Amadeus Mozart. Das Libretto schrieb Lorenzo da Ponte. Die Oper wurde am 29. Oktober 1787 in Prag uraufgeführt. Sie spielt in Sevilla im 17. Jahrhundert. Die Spieldauer beträgt circa 165 Minuten.

Don Juan, der unmoralische Wüstling, war eine beliebte Opern- und Theatergestalt bei Hofe. Vor und nach Mozart haben Schriftsteller, Filmemacher und Komponisten dieses Thema immer wieder aufgegriffen. In Wien existiert ein Don-Juan-Archiv, das im Jahre 2002 Teile seiner Forschungsergebnisse in Form einer 16-bändigen Dissertation präsentierte. Anscheinend findet der Schwerenöter immer noch genug Bewunderer.

Personen: *Don Giovanni* (Bariton); *der Komtur* (Bass); *Donna Anna*, seine Tochter (Sopran); *Don Ottavio*, ihr Verlobter (Tenor); *Donna Elvira*, verlassene Geliebte Don Giovannis (Sopran); *Leporello, Don Giovannis* Diener (Bass); *Masetto*, ein Bauer (Bass); *Zerlina*, dessen Braut (Sopran); Bauern, Festgäste usw.

Draußen vor der Tür – Xaver Paul Thoma

Nach dreijähriger Kriegsgefangenschaft kommt ein Soldat nach Hause. In seinem Bett liegt ein Fremder, seine Frau schickt ihn fort. Egal, wohin und zu wem er geht – kurz darauf steht er wieder draußen vor der Tür.

Ein Mensch bewegt sich im Hintergrund. Man sieht ihn schemenhaft gegen das Abendlicht. Vorn steht ein dicker Mann, ein *Beerdigungsunternehmer,* der seine Bewegungen kommentiert, während er in einer Tour rülpst.

Er sieht, wie der Unbekannte im Hintergrund am Wasser entlangläuft und plötzlich verschwunden ist. Das ist für ihn nicht schlimm, denn das passiert ständig. Ein *Alter Mann* nähert sich. Er weint um seine Kinder. Es ist *Gott*, an den keiner mehr glaubt, weil er das Leiden nicht verhindern kann. In dem *Beerdigungsunternehmer* erkennt er den *Tod* wieder, der einst sehr schlank war. Der *Tod* hat sich in dem Jahrhundert eine dicke Wampe zugelegt. Deshalb das unappetitliche Rülpsen. Ja, er hat sich schlicht überfressen, und es werden immer mehr Tote, die er verdauen muss.

Die Elbe

Beckmann trifft auf den *Anderen*, der immer da ist, wenn ihn keiner braucht; der immer das Gegenteil von ihm ist. *Beckmann* will sterben; da verwickelt ihn der *Andere* in ein Gespräch. *Beckmann* erzählt ihm, dass er aus der Kriegsgefangenschaft zurückgekehrt ist. Er ist heimatlos. In seinem Bett liegt ein fremder Mann, seine Frau will ihn nicht mehr sehen.

Sein kleiner Sohn wurde vom Schutt begraben. Er ist auf der Straße und sieht keinen Sinn mehr im Leben. Deshalb wollte er in die Elbe gehen. Aber die Elbe will ihn nicht haben und hat ihn wieder ausgespuckt.

Die Elbe ist lebendig. Sie besteht aus sechs Frauenstimmen, die die gehörten Wortfetzen wiedergeben: „Ewigkeit“ „tot sein“ „ich will“, „ich kann nicht mehr“, „ich will tot sein“.

Ein *Mädchen* kommt vorbei und spricht ihn an. Sie hat schon befürchtet, einen Toten zu sehen. Aus Mitleid will sie ihn mit zu sich nach Hause nehmen, denn er ist noch nass vom Sturz in die Elbe. Sie stützt ihn und sie gehen wie „zwei uralte steinalte nasskalte Fische“.

Gerade sind die beiden weg, amüsiert sich der *Andere* über die Zweibeiner, die sterben wollen. Kaum kommt ein anderer Zweibeiner mit langen Locken und Busen, wollen sie wieder leben.

Das Mädchen

Das *Mädchen* gibt *Beckmann* Hose und Jacke, die viel zu groß für ihn sind. Sie sind von ihrem Mann, der bei Stalingrad verschollen ist. Außerdem nimmt sie ihm seine Gasmaskenbrille ab. Jetzt kann er kaum noch etwas sehen, aber er spürt hinter der Frau einen *Riesen*, der auf ihn zukommt. Er hört sein Holzbein - teck-tok, teck-tok. Der *Riese* kommt auf ihn zu und fragt ihn: „Was machst du hier? An meinem Platz, bei meiner Frau, in meinem Zeug?“

Beckmann rennt panisch nach draußen. Zurück bleibt das verängstigte *Mädchen.*

Draußen trifft er wieder den *Anderen.* Ihm berichtet er, dass er gerade vor dem Obergefreiten Bauer – für dessen Tod er mitverantwortlich war – weggelaufen ist.

Herr Oberst und Familie.

Beckmann betritt unaufgefordert eine Wohnung und wünscht guten Appetit. Hier sitzen der *Oberst*, seine *Gattin*, seine *Tochter* und sein *Schwiegersohn* um den reichlich gedeckten Tisch. Im Zimmer ist es warm. Die Familie ist verärgert über den unansehnlichen Fremden, der sie beim Essen stört. *Beckmann* verkündet, dass er nur hereingekommen ist, um die Wärme zu spüren, und um vielleicht etwas zu essen. *Frau Oberst* und ihre *Tochter* haben Angst vor ihm. Der *Oberst* versucht, ihn in einem Gespräch abzulenken. Er fragt, ob und was *Beckmann* ausgefressen, oder ob er gesessen hat. „Jawoll, Herr Oberst, in Stalingrad. Drei Jahre saßen wir mit 100.000 Mann fest, während der Oberst Kaviar aß."

Der *Oberst* versucht ihn bei seiner deutschen Ehre zu packen. Er möge bei der deutschen Wahrheit zu bleiben, denn so ein bisschen Krieg könne doch einem deutschen Soldaten nicht den Verstand rauben.

Dauernd unterbrochen von *Frau, Tochter* und *Schwiegersohn* zählt *Beckmann* auf, was er seitdem Tag und Nacht durchlebt. Er kann nicht schlafen, obwohl er hundemüde ist. In seinem Wachtraum sieht er einen Musiker, der auf einem Xylophon aus Knochen spielt.

Statt Arme hat er Granatenstile und trommelt auf Rippen, Schädelknochen, Beckenknochen; Fingerknöchel und Zähne für die hohen Töne. Mit Militärmärschen lockt er die Toten aus den Massengräbern.

Dem *Oberst* wird es zu bunt und er fragt *Beckmann*, was er von ihm wolle. *Beckmann* will ihm lediglich die Verantwortung zurückgeben, um endlich wieder schlafen zu können. Er hat sie immer noch und kann sie nicht länger ertragen. „Heimlicher Pazifist, was?“ Der *Oberst* fängt an zu lachen und reißt die ganze Familie mit, die den ganzen Spuk hinweglacht.

Beckmann ergreift ob dieser Reaktion die Flucht, nimmt aber vom Tisch noch Brot und Rum mit. Darüber wundert sich die Familie, denn sie haben genug wertvolle Sachen im Haus, die er nicht beachtet hat. „Was will er mit dem trocken Brot?“

Wieder auf der Straße, berichtet *Beckmann* dem *Anderen* vom Lachanfall der *Oberstfamilie*. Der sieht darin eine neue Chance und schickt ihn zum *Kabarettdirektor* zum Vorsprechen.

Der Kabarettdirektor

Beckmann singt ihm das traurige Lied von der Soldatenbraut vor, was der Direktor überhaupt nicht lustig findet. Wahrheit hat mit Kunst nichts zu tun. Das wollen die Leute nicht sehen. Sie sehnen sich nach Romantik und Leichtigkeit. Er soll erst reifen und dann wiederkommen. Wieder auf der Straße, zeigt ihm der *Andere* den Weg zu seiner elterlichen Wohnung.

Frau Kramer

Es hängt ein anderer Name an der Wohnungstür – nicht Beckmann, sondern Kramer. Er klingelt trotzdem und heraus kommt die derbe *Frau Kramer*. Sie erzählt ihm, dass seine Eltern eines Morgens tot in der Küche lagen. *Frau Kramers* taktloser Kommentar: „Von dem Gas hätten wir einen ganzen Monat kochen können!“ Nach *Beckmanns* Reaktion schlägt sie schnell die Tür zu und verschwindet.

Beckmann ist entsetzt. Er hält das Leben nicht mehr aus. Im Traum trifft er auf den *Gott*, an den keiner mehr glaubt. Der *Tod* reinigt mit seinem Besen den Rinnstein und spielt Xylophon. Beide verschwinden.

Die Bühne wird dunkler, bis das Licht verlischt. *Beckmann* stellt Fragen wie: „Habe ich denn kein Recht auf einen Selbstmord?“ Als Letztes fragt er in wachsender Verzweiflung: „Gibt hier keiner eine Antwort?“

Draußen vor der Tür – Kammeroper von Xaver Paul Thoma (1953*)

Musik und Libretto (gekürzte Texteinrichtung) von **Xaver Paul Thoma** nach dem Drama von **Wolfgang Borchert**. Die Auftragskomposition der Niedersächsischen Staatsoper wurde am 30. Januar 1994 in Hannover uraufgeführt. Die Handlung spielt 1948 in Hamburg nach dem 2. Weltkrieg. Dauer der Aufführung zirka 140 Minuten ohne Pause.

In Erinnerung bleibt der Schluss in der Uraufführung. Die Lichter gehen aus, Beckmanns Rufe verstummen, der letzte Ton des Orchesters verhallt. Minutenlange Stille bis zum ersten zaghaften Händeklatschen. Beeindruckend.

Personen und ihre Stimmen: *Beckmann* (hoher Bariton); *Der Andere* (Bass); *Mädchen* (Sopran); *Oberst* (tiefer Bariton); *Frau Oberst*, Mutter (Mezzo-Sopran); *Tochter* (Koloratur-Sopran); *Schwiegersohn* (heller Tenor); *Kabarett-Direktor* (Lyrischer Tenor); *Frau Kramer* (Alt); *Der Alte Mann*, Gott (Lyrischer Bass); Die Elbe (6 Frauenstimmen)

Einbeiniger; Straßenfeger; Beerdigungsunternehmer (Sprechrollen)

Eugen Onegin – Pjotr Iljitsch Tschaikowski

Die Oper handelt von der Liebe eines jungen Mädchens zu einem oberflächlichen jungen Mann. Während er sein Leben und das seines Freundes zerstört, gewinnt sie an Stärke.

Die Familie: Mutter und zwei Töchter

Olga und *Tatjana* leben mit ihrer *Mutter Larina* und der *Dienerin Filipjewna* auf einem Gut in Russland. Die schüchterne und zu romantischer Schwärmerei neigende *Tatjana* liest viel und leidet mit ihren Figuren. Die unkomplizierte *Olga* ist mit dem Schriftsteller *Lenski* verlobt, der sie seit Kindertagen liebt. Eines Tages bringt *Lenski* einen Freund mit, der nach vielen Jahren in der großen, weiten Welt auf das elterliche Gut zurückgekommen ist. *Onegin* ist immer noch geschafft vom tagelangen Sitzen (ohne frische Luft!) am Sterbebett seines steinreichen Vaters. *Tatjana* verliebt sich sofort in diesen weltgewandten, aber arroganten Pomadenhengst.

Tatjanas Brief

Am Abend erklärt sie ihm in einem langen Brief ihre Liebe, den sie während der Nacht immer wieder verbessert. *Filipjewnas* Enkel überbringt ihn *Onegin.* Als *Tatjana* ihn am Abend im Garten trifft, baut er sich vor ihr auf. Von oben herab erklärt er ihr, dass sie nur aufgrund ihrer Jugend in ihn verliebt ist, ohne zu wissen, was das bedeutet. Er jedenfalls verspüre keinen großen Ehrgeiz für eine Ehe.

Ländliche Tanzfeste

Auf dem großen Ball im Gutshaus (Ballsaal, Festkleider, Tanz) singt der Franzose *Monsieur Triquet* (Tenor-Solo, meist einer der Höhepunkte) ein Loblied auf die schöne *Tatjana*. *Lenski* und *Onegin* sind ebenfalls eingeladen. *Onegin* tanzt vorerst nur mit *Tatjana*, begleitet vom Getuschel der Gäste. Diese hinterwäldlerische Atmosphäre ödet *Onegin* derart an, dass er seinen Ärger an seinem Freund *Lenski* auslässt, weil der ihn mit hierher geschleppt hat. Er schnappt ihm demonstrativ *Olga* vor der Nase weg und tanzt nur noch mit ihr, bevor beide verschwinden.

Duell im Morgengrauen

Lenski fordert *Onegin* nach dieser Demütigung zum Duell im Morgengrauen auf. Das war der folgenschwerste Fehler seines jungen Lebens. Denn da *Onegin* nur provozieren wollte, ohne sich ernsthaft für *Olga* zu interessieren, ist dieser Preis zu hoch. Nach dem Duell wird es keinen Sieger, sondern nur einen Besiegten geben, der sich bald in einen depressiven Alkoholiker verwandeln wird.

Ball beim Fürsten *Gremin*

Auf einem Ball (Festtafel, Ballkleider, Balletteinlagen) des *Fürsten Gremin* sieht *Onegin* die Herrin des Hauses, *Tatjana*, wieder. Aus dem kleinen Teenager ist eine selbstbewusste und schöne junge Frau geworden, von ihrem Gatten geliebt und vergöttert, während *Onegin* ruhelos umherschweift, immer das Schicksal seines Freundes Lenski im Nacken.

Zu spät

Er ist geblendet von ihrer Schönheit und denkt mit Schauder an seine Zurückweisung. In einer Aussprache wirft sie ihm vor, sie sehr verletzt zu haben. Auch wenn sie ihn einmal ehrlich geliebt hat, so liebe sie heute nur ihren Gatten – den *Fürsten Gremin* – und er sie. Eine Verbindung mit *Onegin* kommt für sie nicht infrage, auch wenn er noch so sehr auf den Knien um sie herumscharwenzelt. Sie geht und hört nicht mehr seinen letzten aussichtslosen Aufschrei: „Du bist MEIN!"
Wozu auch … Männer!

Eugen Onegin - Lyrische Szenen für Oper oder Ballett in drei Akten mit Musik von Pjotr Iljitsch Tschaikowski. Den Text schrieben Pjotr Iljitsch Tschaikowski und Konstantin Stepanowitsch Schilowski nach dem gleichnamigen Roman in Versen von Aleksandr Puschkin. Die Uraufführung durch Schüler des Moskauer Konservatoriums unter der Leitung von Nikolai Rubinstein fand am 17. März 1879 im Moskauer Maly-Theater statt. Die Aufführungsdauer beträgt circa 3 Stunden. Die Handlung spielt im 1. und 2. Akt auf einem russischen Landgut um 1820, im 3. Akt in St. Petersburg.

Personen: *Larina*, Gutsbesitzerwitwe (Mezzosopran); *Tatjana*, ältere Tochter (Sopran); *Olga*, jüngere Tochter (Mezzosopran); *Filipjewna*, Kinderfrau (Mezzosopran); *Lenski,* Gutsnachbar und Dichter (Tenor); *Eugen Onegin*, Gutsnachbar (Bariton); *Triquet*, ein Franzose (Tenor); *Fürst Gremin* (Bass); *Saretzki*, Sekundant (Bass); *Ein Hauptmann* (Bass); *Guillot*, Onegins Kammerdiener (stumme Rolle); Bauern, Beerenpflückerinnen, Festgäste (Chor)

Falstaff – Giuseppe Verdi

Lord Falstaff wähnt sich wegen seines Adelstitels und seiner stattlichen Figur als attraktive Erscheinung, wird aber von den Frauen eines Besseren belehrt.

Erster Akt, erstes Bild im Wirtshaus „Zum Hosenband": *Falstaff*, wie er leibt und lebt.

Sir John Falstaff hat es durch tägliches intensives Training geschafft, seinen Magen mit dem dazugehörigen Körperumfeld auf das XXL-Fache auszuweiten. Dieses Training kostet zunächst einmal Zeit, die er im Wirtshaus verbringt, wo es gleichzeitig Wein und Essen gibt. Es kostet aber auch viel Geld, das trotz der geerbten Güter eines Landlords zur Neige geht. *Falstaffs* Zech- und Fresspartner *Pistola* und *Bardolfo* besorgen Nachschub, wenn's gerade eng wird. Da *Falstaff* gleichzeitig Gerichtsherr ist, müssen sie sich nicht viel Mühe geben. Das bekommt auch *Doktor Cajus* zu spüren, als er Klage gegen die beiden erhebt.

Der Wirt fordert sein Geld – bei *Falstaff* ist Ebbe im Geldbeutel. Aber *Falstaff* hat eine Idee. Ihm fällt seine Wirkung auf Frauen ein, die nur ein stattlicher Mann mit einem derart gepflegten Bauch auf Frauen haben kann. Zwei Damen hätten ihm zugelächelt. Er meinte sogar, in ihren Augen ein Verlangen aufblitzen zu sehen, als sie seine verwegene Hüfte und den starken, mächtigen Wanst bewunderten. Ein Mann seines Standes und Alters sprüht vor Reife und Weisheit. Eine Ansicht, die mit ihm viele Männer in den Wechseljahren teilen. Beide Damen könnten seine kommenden Trainingseinheiten über ihre reichen Ehemänner finanzieren. Also verfasst er einen Liebesbrief gleich in doppelter Ausführung, je einen für *Alice Ford* und *Meg Page*. *Pistola* und *Bardolfo* sollen sie überbringen. Doch derartige

Dienste gehen den beiden Banditen gegen ihre Ehre, und so trennen sich die Zechkumpane in Unfrieden.

Erster Akt, zweites Bild in *Fords* Garten: Liebesbrief; eifersüchtiger Ehemann; *Nannetta* und Fenton

Nicht bedacht hat *Falstaff*, dass seine beiden Auserwählten gute Freundinnen sind, die sich bei einem Treffen mit *Mrs. Quickly* und *Alices* Tochter *Nannetta Falstaffs* schwülstige Liebesergüsse gegenseitig vorlesen. Dabei entdecken sie den übereinstimmenden Text beider Briefe. Erst sind sie empört über dieses wandelnde Weinfass, doch dann ergötzen sie sich an dem Unterhaltungswert und beschließen, es dem unappetitlichen Möchtegern-Filou kräftig heimzuzahlen.

Bardolfo und *Pistola* verraten unterdessen dem eifersüchtigen Ehemann, dass seine Frau *Alice* ganz wild nach *Falstaff* ist. Neben unsäglichen Flüchen entwickelt *Mr. Ford* mit *Dr. Cajus*, den er sich als Schwiegersohn für seine Tochter *Nannetta* wünscht, einen Plan, wie sie *Falstaff* hereinlegen und die Treue ihrer Frauen testen können.

Nannetta trifft sich nach deren Abgang heimlich mit ihrem Wunschpartner *Fenton*. Beide verbringen viel Zeit mit gegenseitigen Neckereien – sie turteln sich fortan durch die Oper.

Zweiter Akt, erstes Bild im „Gasthaus zum Hosenband“: *Mrs. Quickly* und *Mr. Ford*

Mrs. Quickly bringt *Falstaff* die Botschaft, dass *Alice* rasend in ihn verliebt sei. Sie bittet ihn, heute noch zu kommen, da ihr Mann nicht zu Hause sei. *Falstaff* ist begeistert. Aber es kommt noch besser. Der verkleidete *Mr. Ford* sucht ihn auf und bittet ihn, *Alice* zu erobern. Dafür bekommt er einen Beutel Geld. *Falstaff* kann das doppelte Glück kaum fassen. Schnell wird er diesen Kavaliersdienst erfüllen können.

Er verrät dem verkleideten Ehemann, dass *Alice* ihn eingeladen hat, da ihr Gatte nicht zu Hause ist.

Während *Falstaff* sich schön macht, tobt der eifersüchtige *Mr. Ford* sich musikalisch aus. Danach komplimentieren sich beide zur Tür hinaus.

Zweiter Akt, zweites Bild im Hause *Ford*: *Falstaff* im Wäschekorb

Alice, *Meg*, *Nannetta* und *Mrs. Quickly* treffen die letzten Vorbereitungen in der Wäschekammer. Als *Falstaff* erscheint und *Alice* ohne Umschweife bezirzen will, platzen wie verabredet erst *Meg*, dann *Mrs. Quickly* mit der Schreckensbotschaft vom nahenden Ehemann dazwischen. Nun wird es nicht nur für *Falstaff*, sondern auch für die Frauen brenzlig. Tatsächlich stürmt *Ford* mit *Dr. Cajus*, *Fenton*, *Bardolfo* und *Pistola* sein Haus und lässt kein noch so kleines potenzielles Versteck undurchsucht. Den Frauen gelingt es trotzdem, *Falstaff* in dem für ihn bereitgestellten Wäschekorb unter der Dreckwäsche zu verstecken. Weil es ihm darin zu heiß wird, lassen sie den schweren Korb von Dienern zur Abkühlung in die Themse kippen. Jetzt weiht *Alice* ihren kleinlaut werdenden Ehemann in ihr Spiel ein.

Dritter Akt, erstes Bild im „Gasthaus zum Hosenband“: alle gegen *Falstaff*

Falstaff kann die Schlechtigkeit seiner Umwelt nicht fassen. Sein Selbstmitleid verflüchtigt sich allerdings, je leerer die Weinkanne wird. Und dann kommt auch noch *Mrs. Quickly*, die ihn im Auftrag von *Alice* zu einem neuen Rendezvous bittet – um Mitternacht bei Hernes Eiche.

Damit sie ihn erkennen kann, soll er sich als schwarzer Jäger mit einem Hirschgeweih auf dem Kopf verkleiden – das kann lustig werden. Das meinen auch die Lauscher im Hintergrund.

Mr. Ford plant, seine Tochter *Nannetta* im allgemeinen Trubel zu überrumpeln und mit seinem Wunschkandidaten *Dr. Cajus* zu verheiraten. Seine kluge Frau *Alice* bevorzugt *Fenton* als Schwiegersohn. Damit steht das Ende schon fest.

Dritter Akt, zweites Bild: Geisterstunde im Park – Doppelhochzeit

Zur Geisterstunde erscheinen der verkleidete Ritter *Falstaff* und *Alice*, auf die er sich voller Inbrunst und Leidenschaft stürzen möchte. Da erwacht plötzlich der Wald. Ganz Windsor hat sich als Feen und Geister verkleidet. Unter der Führung der als Fee erscheinenden *Nannetta* stürzen sich die Kobolde auf *Falstaff*, der es langsam mit der Angst zu tun bekommt. Erst an *Bardolfos* Alkoholfahne merkt er, welches Spiel mit ihm getrieben wird. Damit hat der Spuk sein Ende. Es warten nur noch zwei verkleidete Paare, die den Ehesegen erbitten. *Mr. Ford* vermählt beide, obwohl er nur seine als Fee verkleidete Tochter und *Dr. Cajus* in Mönchskutte trauen wollte. Als die beiden Paare ihre Masken abnehmen, erkennt er, dass er soeben *Dr. Cajus* mit *Bardolfo* und seine Tochter *Nannetta* mit *Fenton* verheiratet hat. Des einen Pech, des anderen Glück. *Falstaff* ist froh, dass der Spuk zu Ende ist und er wieder in Ruhe im Wirtshaus seiner wahren Bestimmung nachgehen kann. Sein Fazit: „Alles ist Spaß auf Erden, der Mensch als Narr geboren."

Falstaff – komische Oper mit Musik von Giuseppe Verdi.

Das Libretto schrieb Arrigo Boito nach der Komödie „Die lustigen Weiber von Windsor“ von William Shakespeare. Die Handlung spielt in Windsor in England um 1400, die Oper dauert circa 2 Stunden 30 Minuten. Im Teatro alla Scala in Mailand fand am 9. Februar 1893 die Uraufführung statt.

Falstaff ist Verdis letzte Oper. Eigentlich wollte er keine komischen Opern mehr schreiben, weil er noch böse Erinnerungen an seine erste komische Oper – Un giorno di regno (König für einen Tag, 1840) – mit sich herumschleppte. Während der Arbeit starben seine beiden Kinder und kurz darauf seine Frau. Für Verdi war der humorvolle, heitere Stoff mit Trübsal und Trauer besetzt. Auch während der Arbeit am Falstaff erkrankte ein guter Freund und starb. Nach längerer Trauerzeit nahm er die Arbeit wieder auf und beendete die Oper – sie wurde ein großer Erfolg.

Personen: *Sir John Falstaff* (Bariton); *Mrs. Alice Ford* (Sopran); *Mr. Ford*, Alices Gatte (Bariton); *Nannetta*, ihre Tochter (Sopran); *Fenton*, verliebt in Nannetta (Tenor); *Dr. Cajus*, Mr. Fords Wunschschwiegersohn (Tenor); *Bardolfo*, Falstaffs Mitstreiter, Mitesser, Mittrinker (Tenor); *Pistola*, ebenso (Bass); *Mrs. Quickly*, Freundin von Alice Ford (Mezzosopran); *Mrs. Meg Page*, ebenso (Mezzosopran); der Wirt, Falstaffs Page *Robin*, Ein Page bei Ford (stumme Rollen); Bürgerinnen und Bürger von Windsor (Chor)

Fausts Verdammnis – Hector Berlioz

Die Oper erzählt die Geschichte des Gelehrten Dr. Faust, den eigentlich alles langweilt. Gretchen lässt er schwanger zurück. Mephisto entführt ihn in die Hölle.

Teil 1 – *Faust* erwacht mitten in der ungarischen Ebene und besingt den Frühling.

Von fern hört er die Lieder der Landleute – Originaltext von Goethe „Der Schäfer putzte sich zum Tanz …“. Faust fühlt sich gestört, aber die Bauern singen und tanzen fröhlich weiter, bis von Ferne andere Töne überwiegen. Eine Armee zieht mit dem „Ungarischen Marsch“ vorbei. *Faust* bewundert sie, weil sie so stolz und siegessicher in den Kampf ziehen können, während ihn das alles nicht berührt. Er entfernt sich.

Teil 2 – In Norddeutschland durchlebt Faust eine schwere depressive Phase.

Allein in seinem Studierzimmer, ist er kurz davor, sich zu vergiften. Gerade als er den Giftbecher ansetzt, hört er von draußen pastorale Klänge – „Ostergesänge“ im Original von Goethe. Dieser beruhigende Gesang bringt *Faust* wieder zurück ins Leben.

Plötzlich steht *Mephisto* vor Faust und verspricht, ihm zu zeigen, wo er Glück, Lust und die Erfüllung von heißen Wünschen finden kann. Zusammen fliegen sie zu Auerbachs Keller nach Leipzig. Unter Zustimmung der Zecher trägt der Stammgast *Brandner* ein Lied vor. Diese unappetitliche Moritat handelt von einer Ratte, die vergiftet wird und im Ofen landet.

Mephisto kennt ein ähnliches Lied, das man nur ab einem bestimmten Alkoholspiegel genießen kann. *Faust* flieht vor den grölenden Betrunkenen.

Mephisto gibt nicht auf. Am Ufer der Elbe singen Elfen und Nymphen zarte Lieder, bis *Faust* einschläft. Im Traum erscheint ihm *Margarete*. Um die schöne Stimmung noch zu vertiefen, lässt *Mephisto* seine Luftgeister um ihn herum singen und tanzen. (Auch die Zuschauer lehnen sich behaglich zurück bei so viel Harmonie). Danach marschieren singende Soldaten und Studenten durch seinen Traum. Als *Faust* erwacht, möchte er unbedingt *Margarete* sehen.

Teil 3 – *Mephisto* bringt *Faust* in *Margaretes* Zimmer.

Faust wartet, schaut sich um, und verbirgt sich hinter einem Vorhang. *Margarete* tritt ein, kämmt sich ihr güldenes Haar und lässt noch einmal ihren Traum an sich vorbeiziehen, in dem sie ihren zukünftigen Liebhaber gesehen hat. Während sie ihre langen Zöpfe für die Nacht frisiert, singt sie die Ballade vom König von Thule (Goethe). *Mephisto* heizt die Stimmung mit dem Chor der Irrlichter noch zusätzlich ein. *Faust* und *Margarete* stehen sich gegenüber und – nach einem gegenseitigen Wiedererkennen der Traumgestalten – gleich sehr, sehr nahe. *Mephisto* stört die Zweisamkeit, denn die Nachbarn haben *Margaretes* Mutter alarmiert. Die gute Frau Oppenheim ist schon unterwegs. Faust muss fliehen.

Teil 4 – *Margarete* bleibt schwanger allein zurück und singt die traurige „Romanze“ (original von Goethe).

Soldaten und Studenten verhöhnen sie. Währenddessen irrt *Faust* allein durchs Gebirge.

Mephisto gesellt sich zu ihm und berichtet, dass *Margarete* im Gefängnis gelandet ist. Sie hat ihre Mutter vergiftet. Faust ist außer sich und verlangt von *Mephisto*, *Margarete* zu retten. Der stimmt zu unter der Bedingung, dass *Faust* ihm ab morgen dienen wird.

Faust will seine *Margarete* schon heute retten und unterschreibt den Pakt mit dem Teufel. Daraufhin setzt *Mephisto* ihn aufs Pferd, und sie reiten durch die Welt – allerdings kommen sie nicht bei *Margarete* an, sondern in der Hölle. *Mephisto* feiert mit den Dämonen seinen Sieg über *Faust*.

Epilog – Margarethe landet im Himmel.
Der Chor der himmlischen Geister feiert ihre Rettung.

Fausts Verdammnis/La Damnation de Faust
Die Musik zu dieser Oratorienoper komponierte Hector Berlioz, das Libretto schrieben Almire Gandonnière und Hector Berlioz nach der Übersetzung von Goethes Faust I von Gérard de Nerval. Die konzertante Uraufführung fand am 6. Dezember 1846 in der Opéra-Comique in Paris statt. Die Spieldauer beträgt circa 2 Stunden 15 Minuten.

Personen: *Marguerite/Margarethe* (Mezzosopran); *Faust* (Tenor); *Méphistophélès/Mephisto* (Bariton oder Bass); *Brander* (Bass); großer Chor; erweitertes Orchester mit Bühnenmusik

Berlioz schrieb in seinen Memoiren:

„Als bemerkenswertes Ereignis meines Lebens muss ich den eigentümlich tiefen Eindruck hervorheben, den ich von Goethes „Faust“ erhielt. Das wunderbare Buch faszinierte mich sogleich, ich ließ es nicht mehr los; ich las es fortwährend, bei Tisch, im Theater, auf den Straßen, überall.“

In seiner Begeisterung komponiert Berlioz Musik für den „Faust“. Er setzt nicht die Geschichte um, wie Goethe sie schrieb, sondern hüllt seine Gefühle in Musik, wie er sie beim Lesen der Geschichte empfand: „Ich versuchte weder, das Meisterwerk Goethes zu übersetzen, noch, es nachzuahmen, sondern ließ es lediglich auf mich wirken, in dem Bestreben, seinen musikalischen Gehalt zu erfassen.“

Zur gleichen Zeit beschäftigt ihn der Rákóczi-Marsch. Also verlegt er den ersten Teil nach Ungarn, um gleichzeitig diese Musik mit unterbringen zu können.

Fidelio – Ludwig van Beethoven

Freiheit und Treue sind die Hauptthemen dieser Oper. *Leonore* – als Mann *Fidelio* verkleidet – befreit ihren Gatten *Florestan* aus dem Gefängnis.

Erster Aufzug: Rocco will seine Tochter mit *Fidelio* verheiraten; *Pizarro* schmiedet Mordpläne; Gefangene erhalten Hofgang.

Marzelline wehrt *Jaquino* ab, der allein mit ihr turteln möchte. Bis vor Kurzem hatte sie nichts dagegen, von dem Pförtner ihres Vaters hofiert zu werden. Seit drei Monaten allerdings himmelt sie nur noch *Fidelio* an.

Aber *Fidelio* hat ganz eigene Pläne. Er wagt nicht zu sagen, dass eine Ehe mit *Marzelline* vollkommen unmöglich sein wird, denn in seinen Dienerkleidern steckt eine Frau – sogar eine verheiratete Frau! *Leonore* alias *Fidelio* machte sich in Männerkleidern auf den Weg, um ihren verschollenen Ehemann *Florestan* zu suchen, der vor zwei Jahren verschleppt wurde und seitdem als tot gilt. *Leonore* glaubte, ihn im Staatsgefängnis zu finden und heuerte beim Kerkermeister *Rocco* als Diener an. Seitdem erledigt *Fidelio/Leonore* sämtliche Aufträge und kauft sogar noch günstiger ein als *Rocco*. Darüber freut sich der praktisch denkende Kerkermeister, der schnell überall seinen Vorteil erkennen kann. Er sieht *Marzellines* Verliebtheit, *Fidelios* Einverständnis setzt er voraus. Also beschließt er zu *Marzellines* Freude, die beiden einen Tag nach der Abreise des Gouverneurs zu verheiraten, und zwar in wenigen Tagen.

Jetzt gerät *Leonore* unter Zeitdruck. Spätestens in der Hochzeitsnacht würde der Schwindel auffliegen, und an die Folgen mag sie gar nicht denken. Noch vor der Hochzeit muss sie *Florestan* befreit haben.

Unter dem Vorwand, jetzt bald zur Familie zu gehören, möchte sie Rocco in den Kerker begleiten, was vorher strengstens untersagt war. *Marzelline* befürwortet das, denn sie ist sich sicher, dass ihr Mann der neue Kerkermeister wird. Es fehlt nur noch die Erlaubnis, *Fidelio* als Gehilfen mitzunehmen.

Der *Gouverneur Pizarro* hat andere Sorgen, als sich um Kerkergehilfen zu kümmern. Er erhielt eine Warnung. Der Minister hat sich zu einer unangemeldeten Inspektion aufgemacht, denn er hörte das Gerücht, dass sich Opfer von willkürlicher Gewalt im Staatsgefängnis befinden.

Jetzt drängt auch für *Pizarro* die Zeit, denn sein Opfer ist *Florestan, Leonores* Mann und Freund des Ministers. Einst waren sie Rivalen um einen Posten. *Florestan* versuchte ihn zu stürzen. *Pizarro* kam ihm zuvor und ließ ihn einkerkern. Seit zwei Jahren sitzt er im tiefsten Verlies ohne Tageslicht. Seine Ration an Wasser und Brot wurde stetig gekürzt, sodass er bald sterben wird. An *Florestans* Qualen weidet sich der Sadist *Pizarro*. Nur erwischen lassen darf er sich nicht, sonst geht es ihm an den Kragen.

Pizarro ruft *Rocco* zu sich. Er teilt ihm mit, heute großes Glück zu haben, denn er darf sich einen Beutel Geld verdienen, den er *Rocco* gleich zuwirft. Der praktisch denkende *Rocco* kann es kaum erwarten, die Arbeit für diesen Geldbeutel, und eventuell den nächsten, zu verrichten. Als er erfährt, dass er dafür seinen Gefangenen töten soll, streikt er. Töten gehört nicht zu seinen Aufgaben als Kerkermeister.

Als selbst die abschätzige Schmähung, dass er zu feige sei, nichts fruchtet, muss *Pizarro* den Job selbst erledigen. Zum Diskutieren bleibt keine Zeit. Vorher soll *Rocco* ihm noch ein Grab schaufeln. Da kommt ein Gehilfe gerade recht, denn dann geht es schneller.

Inzwischen überlegt *Leonore*, wie sie ihren *Florestan* zwischen all den Gefangenen wiedererkennen soll. Sie überredet *Rocco*, die Gefangenen in den Festungsgarten zu lassen, damit sie einmal die Sonne sehen können. Das gibt *Leonore* die Gelegenheit, nach *Florestan* Ausschau zu halten. Doch sie sieht ihn nicht.

Dafür stellt *Pizarro* wutentbrannt *Rocco* wegen seiner Eigenmächtigkeit zur Rede. *Rocco* sagt ihm treuherzig, dass sie so jedes Jahr den Namenstag des Königs feiern. *Pizarro* hat nur die Beseitigung *Florestans* im Kopf, lässt diese Dreistigkeit durchgehen und ermahnt *Rocco*, das Grab ja pünktlich und tief genug auszuschaufeln und ihn sofort zu rufen.

Zweiter Aufzug: *Florestan* im Kerker; Wettlauf mit der Zeit; Gefangene kommen frei.

Florestan sitzt angekettet im Verlies und träumt von seiner Gattin *Leonore*, die er wahrscheinlich nie wiedersehen wird. Darauf fällt er wieder ins Koma.

Rocco kommt und schaufelt das Grab, während *Leonore* den Gefangenen beobachtet. Als er aufwacht, erkennt sie ihn an seiner Stimme, während *Rocco* sich seine Geschichte anhört. *Florestan* bittet ihn, seiner Frau *Leonore* mitzuteilen, dass er sich in der Festung befindet. Er ahnt nicht, dass sie gerade neben ihm sein Grab schaufelt.

Als das Grab fertig ist, gibt *Rocco* das Signal. *Pizarro* kommt verkleidet in den Kerker. Vor *Florestan* nimmt er die Maske ab: „*Pizarro*, den du stürzen wolltest, *Pizarro*, den du fürchten solltest, steht nun als Rächer hier." Als er genüsslich mit dem Dolch zustechen will, wirft sich *Leonore*, die sich im Hintergrund versteckt hielt, dazwischen. Sie gibt sich als *Florestans* Gattin zu erkennen, was bei den drei Männern unterschiedliche Reaktionen hervorruft.

Florestan meint zu träumen. *Rocco* sieht seinen Schwiegersohn - und damit seine Nachfolge – dahinschwinden. *Pizarro* erkennt es als Chance, beide ins Jenseits zu befördern und damit ein für alle Mal Ruhe zu haben. *Leonore* jedoch hält ihn mit einer Pistole auf Abstand, bis ein Trompetensignal ertönt, welches das Kommen des Ministers ankündigt. *Pizarro* muss den Mord auf später verschieben, denn erst einmal werden die politischen Gefangenen befreit. Das veranlasst den Gefangenenchor zu einem Hohelied auf die Freiheit.

Florestan steht nicht auf der Liste des Ministers. Das heißt, dass *Pizarro* ihn eigenmächtig eingekerkert hat, wie es *Rocco* schnell bezeugt. Sofort erkennt er, wer hier das Sagen hat. Er beschuldigt *Pizarro*, ihm das Verhungern *Florestans* befohlen und ihn zum Mord angestiftet zu haben. Das bringt den Gefangenenchor in Rage. Sie fordern Strafe und sehen mit Genugtuung, wie *Pizarro* abgeführt wird.

Am guten Ende der Oper haben *Florestan* und *Leonore* sich wiedergefunden. Die Gefangenen kommen frei und lassen *Leonore* wegen ihres Mutes hochleben. *Rocco* schwimmt schon wieder oben und behält seinen Posten als Kerkermeister. Eine Verliererin wird kaum beachtet: *Marzelline*.

Fidelio ist eine Oper mit gesprochenen Dialogen mit Musik von Ludwig van Beethoven. Das Libretto schrieben Sonnleithner, von Breuning, Treitschke. Die Uraufführung fand am 20. November 1805 im Theater an der Wien statt. Die Spieldauer beträgt ungefähr 2 Stunden 30 Minuten. Die Handlung spielt im Staatsgefängnis von Sevilla, weit vor der Zeit der Premiere.

Personen: *Don Fernando*, Minister (Bariton); *Don Pizarro*, Gouverneur eines Staatsgefängnisses (Bariton); *Florestan*, Gefangener (Tenor); *Leonore*, dessen Frau unter dem Namen „Fidelio“ (Sopran); *Rocco*, Kerkermeister (Bass); *Marzelline*, dessen Tochter (Sopran); *Jaquino,* Pförtner (Tenor); erster Gefangener (Tenor); zweiter Gefangener (Bass); Wachsoldaten, Staatsgefangene, Volk (Chor)

Die Oper Fidelio/Leonore soll auf eine wahre Begebenheit zurückgehen.

Eine als Mann verkleidete Madame de Tourraine rettete ihren Gatten aus dem Gefängnis der Jakobiner. Je nach Regierung wurde der Mann später als Held gefeiert oder als Verräter geächtet. Da einige der leicht zu erkennenden Personen zum Zeitpunkt der Oper noch lebten, wurde der Inhalt vorsichtshalber nach Spanien und in frühere Zeiten verlegt. Die meisten Zuschauer kannten allerdings die Vorlage, und so hielt sich die Oper bis in die Jetztzeit als „Befreiungsoper“. Je nach politischer Lage konnte das Publikum sich für die „Guten“ oder die „Bösen“ entscheiden. Als „Rettungs- und Befreiungsoper“ feierte Fidelio in der Inszenierung von Christine Mielitz am 7. Oktober 1989 in der Semperoper Premiere. Das Opernhaus war von Polizei- und Militärfahrzeugen umstellt. Die Stimmung soll bombig gewesen sein.

Figaros Hochzeit – Wolfgang Amadeus Mozart

Die Hochzeit des Figaro knüpft als Fortsetzung an den Barbier von Sevilla an, nach dem Theaterstück von Beaumarchais. *Figaro* half damals dem *Grafen Almaviva*, seine Angebetete *Rosina* aus den Klauen ihres Mündels, *Doktor Bartolo*, zu befreien. *Doktor Bartolo* wollte einst Rosina heiraten, um an ihre Mitgift zu kommen. Durch *Figaros* List und Tücke, mit der er nicht nur den Doktor, sondern den Notar und weitere Personen hereinlegte, ging schließlich *Graf Almaviva* als Sieger hervor. Er heiratete seine *Rosina*.

Erster Akt – *Graf* und *Gräfin Almaviva* sind in die Jahre gekommen.

Die *Gräfin* trauert ihrer einstigen Schönheit nach, der *Graf* ersetzt diese durch aktuelle, aber deutlich jüngere Schönheiten. Aber auch er ist mit den Jahren bequemer geworden. Er wildert nicht mehr außerhalb, sondern bevorzugt junge Frauen innerhalb seines Schlosses. Für *Susanna*, die Braut seines Dieners *Figaro*, hat er sich etwas ganz Besonderes ausgedacht. Dem Hochzeitspaar stellt er eine Wohnung zur Verfügung – direkt neben seinen Gemächern. *Figaro* wird er mit irgendwelchen Aufträgen in der Gegend herumschicken, während er *Susanna* direkt nebenan in ihrer Wohnung heimsucht. Ein bequemes Bett hat er dem jungen Brautpaar auch schon spendiert. *Susanna* durchschaut seine wahren Absichten sofort. Als sie es dem – in dieser Hinsicht naiven – *Figaro* verklickert, rast er vor Wut.

Er wäre aber nicht der pfiffige *Figaro*, wenn er es zum offenen Bruch kommen lassen würde.

Dunkle Wolken brauen sich zusammen. *Doktor Bartolo* findet endlich eine Gelegenheit für seine Rache. Die Haushälterin *Marcellina* beauftragt ihn, bei Gericht durchzusetzen, dass *Figaro* sie heiraten soll. Er hat ihr einst schriftlich das Heiratsversprechen gegeben, als Sicherung für ihr geliehenes Geld.

Cherubino, der Schürzenjäger-Azubi und Page im Dienst des *Grafen*, flüchtet sich zu *Susanna*. Der *Graf* hat ihn bei der *Gräfin* erwischt. Jetzt muss er sich verstecken. Als der *Graf* ihn entdeckt, ernennt er *Cherubino* zum Offizier und schickt ihn damit weit weg von der angenehmen Hofgesellschaft.

Zweiter Akt – Versteckspiel in den Gemächern der *Gräfin*

Als Zofe der *Gräfin Almaviva* weiht *Susanna* ihre Herrin sofort ein. Sie möchte *Figaro* heiraten und nicht von dem alten *Grafen* vergewaltigt werden. Der beruft sich auf das schon längst abgeschaffte „Recht der ersten Nacht". *Gräfin Almaviva* allerdings will unbedingt ihren Mann zurückerobern. Ihrem Gatten war sie an sich bisher treu, was sie auch (vergeblich) von ihrem Ehemann erwartet. Schwach wurde sie nur bei *Cherubino*, der auch prompt hereinplatzt und um ein Versteck bittet. Um seine Anwesenheit zu vertuschen, stecken sie ihn in Frauenkleider. Ausgerechnet hier kommt der *Graf* herein, den sofort die Eifersucht packt.

In diesem ergiebigen Kleidertausch und dem Hinter-Sessel-und-Betten-Hervorlugen platzen *Marcellina* und *Bartolo*, die gegen *Figaro* Klage erheben wollen, bevor er heiratet. Das kommt dem *Grafen* gerade recht – die Heirat von *Figaro* und *Susanna* wird verschoben.

Dritter Akt – *Figaro* findet seine Eltern.

Die *Gräfin* möchte ihren *Grafen* erneut verführen und befiehlt *Susanna*, sich mit ihm im Garten zu verabreden; in *Susannas* Namen hat sie ihm einen Brief geschrieben; in *Susannas* Kleidern will sie ihm zeigen, was noch in ihr steckt. Der *Graf* ist derart entzückt von *Susannas* Brief und Angebot, dass er als Gerichtsherr eine kleine Schlappe wegsteckt. *Figaro*, das Findelkind, entpuppt sich in der Verhandlung als der uneheliche Sohn von *Marcellina* und *Bartolo*. Heiraten können Mutter und Sohn also nicht mehr. Jetzt aber steht die hinterhältige Drahtzieherin *Marcellina* auf der Seite der Frauen.

Vierter Akt – im Garten herrscht reges Treiben hinter allen Büschen.

Der *Graf* wartet auf *Susanna*, die im Gewand der *Gräfin* kommt, während die *Gräfin* in *Susannas* Kleidern erscheint. Der eifersüchtige *Figaro* traut seiner *Susanna* nicht so ganz und aktiviert *Bartolo* und *Marcellina*, damit sie mit anhören und sehen können, was der *Graf* mit ihr macht. Nach Versteckspielen hinter Büschen und Bäumen, Verkleidungen der bisherigen Haupt- sowie Nebenpersonen, Verfolgungsjagden, Zank und Streit aller Beteiligten und Vertragen derselben heiraten *Figaro* und *Susanna*.

… nur *Graf Almaviva* steht am Ende blamiert und einsam da.

„Die Hochzeit des Figaro“ (Le nozze di Figaro) mit Musik von Wolfgang Amadeus Mozart erlebte die Uraufführung am 1. Mai 1786 im Wiener Burgtheater. Das Libretto schrieb Lorenzo da Ponte nach der literarischen Vorlage „La Folle Journée ou le Mariage de Figaro“ von Beaumarchais. Die Oper spielt im Schloss des Grafen Almaviva, Aguasfrescas bei Sevilla, um 1780 – also in der damaligen Gegenwart. Die 3 Stunden 30 Minuten lange Oper war eine Provokation gegenüber dem herrschenden Adel und hätte Mozart Kopf und Kragen kosten können. Zwar ist am Ende eine Komödie über die Zustände in adligen Kreisen entstanden, aber nicht alle Adligen konnten darüber lachen.

Personen und ihre Stimmen: *Graf Almaviva* (Bariton); *Gräfin Almaviva* (Rosina) (Sopran); *Figaro*, Kammerdiener (Bassbariton); *Susanna*, Mündel und Kammerzofe der Gräfin, Figaros Verlobte (Sopran); *Cherubino*, Page des Grafen und Barbarinas Verlobter (Mezzosopran); *Marcellina*, Beschließerin im gräflichen Schloss (Mezzosopran); *Bartolo*, Arzt aus Sevilla (Bass); *Basilio*, Musikmeister der Gräfin (Tenor); *Don Curzio*, Richter (Tenor); *Antonio*, Gärtner und Susannas Onkel, zugleich Vater Barbarinas (Bass); *Barbarina*, Tochter des Antonio (Sopran); Zwei Frauen; Chor der Landleute (Chor)

Gegen die Wand – Ludger Vollmer

Die Oper handelt von einer jungen Türkin, die sich von überlieferten gesellschaftlichen Zwängen befreien möchte und in ganz andere Abhängigkeiten gerät.

Sibel, eine junge Türkin, fühlt sich von ihrem Vater und Bruder unterdrückt. Sie möchte frei von traditionellen Zwängen leben. Zufällig entdeckt sie den mit Drogen vollgepumpten und lebensmüden *Cahit*, den sie fragt, ob er sie heiraten will. Mit Liebe hat das nichts zu tun. Es hat nur einen Vorteil: *Cahit* ist auch Türke. Eine Ehe mit ihm bedeutet, dass sie von der (langen) Leine ihres Vaters loskommt. Mehr will sie nicht. Vielleicht noch den Status als Ehefrau.

Freiheit bedeutet für sie sexuelle Abenteuer. Sie schläft sich von einem zum anderen durch, egal, ob Männchen oder Weibchen.

Mit *Nico* hat sie ein Verhältnis, das dieser etwas ernster nimmt als sie. Als sich *Sibel* und *Cahit* doch ineinander verlieben, und *Sibel* nichts mehr von *Nico* wissen möchte, reagiert er wie ein typischer Macho. Er greift aber nicht *Sibel* an, sondern *Cahit*, den Ehemann. Er wirft ihm vor, dass er seine Frau mit anderen schlafen lässt. Vermutlich ist er deren Zuhälter und bietet ihm 50 Euro an. Alle Freunde aus der Clique warnen *Nico*. Selbst in ihren Augen geht er zu weit. Doch *Nico* reizt ihn so lange, bis *Cahit* diese Beleidigung nicht auf sich sitzen lassen mag, auf ihn losgeht und ihn tötet.

Cahit sitzt im Gefängnis, und *Sibel* wird zu ihrer *Cousine Selma* nach Istanbul geschickt. Hier gerät sie vor Schmerz und Trauer über den verlorenen Ehemann an den halbseidenen Barkeeper *Hüseyin*, der sie mit Opium und Alkohol versorgt.

„Gegen die Wand“ erzählt von dem schwierigen Prozess, den viele Jugendliche durchmachen, wenn sie sich aus dem Elternhaus lösen. So wie *Sibel* wird es wohl den Allerwenigsten ergehen. Fehler macht wohl jeder, der das erste Mal auf eigenen Füßen steht. Selbst *Sibel* findet ihren Weg. Sie hat am Schluss einen Partner, auf den sie sich verlassen kann, und ein Kind, das sie liebt.

Als *Cahit* aus dem Gefängnis entlassen wird, ruft er sie an, um mit ihr zu fliehen. *Sibel* merkt, dass sie ihn immer noch liebt. Wird alles noch einmal von vorn losgehen?

Die Oper „Gegen die Wand“ mit Musik und Libretto von Ludger Vollmer beruht auf dem Drehbuch des gleichnamigen preisgekrönten Films von **Fatih Akin**. Es ist eine Mischung aus deutscher und türkischer – oder besser gesagt – orientalischer Musik. Den Türken wird sie sehr westlich vorkommen, den Deutschen ausgesprochen türkisch. Die Uraufführung fand am 28. November 2008 im Theater Bremen statt. Die circa 2 Stunden 15 Minuten lange Oper spielt um 2004 in Hamburg.

Personen: *Cahit* (Bariton); *Sibel* (Mezzosopran); *Yunus Güner*, Sibels Vater (Bass); *Dr. Schiller*, Psychiater (Bass); *Birsen Güner*, Sibels Mutter (Alt); *Yilmaz Güner*, Sibels Bruder (Tenor); *Niko*, Barkeeper in Hamburg (Tenor); *Hüseyin*, Barkeeper in Istanbul (Tenor); *Kellner* in Istanbul, Marmara-Hotel (Tenor); *Selma*, Sibels Cousine (Sopran); *Seref*, Cahits Freund, Troubadour (Schauspieler, zweisprachig – deutsch und türkisch im Street-Slang); *Lukas*, Sibels Liebhaber (Tänzer); *Maren*, Cahits Geliebte (Tänzerin); gemischter Chor, Ballett (optional), Statisten

Götterdämmerung – Richard Wagner

Nach dem Vorspiel , dem ersten Abend **Walküre**, dem zweiten Abend **Siegfried**, folgt mit der **Götterdämmerung** der dritte und letzte Abend aus dem Opernzyklus **Der Ring des Nibelungen**.

Vorspiel – Die *drei Nornen* und Siegfrieds Rheinfahrt

Die *drei Nornen* spinnen goldene Schicksalsfäden, aus denen sie vorhersagen, dass Walhall verbrennen wird, sobald die *Rheintöchter* den Ring wieder besitzen. Mehr können sie nicht erkennen, denn leider reißt ihnen ein Schicksalsfaden. Sie versinken wieder in einem schwarzen Loch.

Siegfried und *Brünnhilde* wird die traute Zweisamkeit langweilig. Also lässt *Siegfried* den Ring als Liebespfand zurück und macht sich auf zu neuen Abenteuern („Siegfrieds Rheinfahrt“), während *Brünnhilde* zu Hause auf ihn wartet.

Erster Akt – Burg Gibichungen und Siegfrieds Vergessenstrunk

Er schippert den Rhein entlang bis zum Palast von *Gunther* und *Gutrune*, dem ledigen Geschwisterpaar. Ihr machtbesessener Halbbruder *Hagen* sieht voraus, dass sich *Siegfried*, ein Enkel *Wotans*, auf dem Weg zum Palast befindet. Das ist eine ebenbürtige Partie für *Gutrune*. Für *Gunther* hat er *Brünnhilde*, *Wotans* Tochter, ausersehen.

Dass *Siegfried* und *Brünnhilde* eigentlich ein Paar sind, nimmt er nicht als Hindernis wahr, denn es gibt einen Vergessenstrunk, der einerseits die Vergangenheit auslöscht, andererseits die Liebe zu einer neuen Frau weckt.

Alles läuft nach Plan. Der ankommende *Siegfried* wird mit dem Vergessenstrunk begrüßt, verliebt sich sofort in *Gutrune* und trinkt Blutsbrüderschaft mit *Gunther*. Der erzählt ihm, dass er eine Frau kennt, die sehr stark ist. Er würde sie gern zur Frau nehmen, traut sich aber nicht. *Siegfried* verspricht, die „Eroberung" der Frau für seinen Blutsbruder zu übernehmen.

Tag und Nacht wartet *Brünnhilde* auf *Siegfried*. Sie bekommt derweil Besuch von ihrer Schwester *Waltraute*, ebenfalls eine *Walküre*. Die versucht vergeblich, ihre Schwester zur Herausgabe des Ringes zu bewegen. Das wäre wohl besser gewesen, denn kaum ist sie gegangen, kommt *Siegfried*, getarnt als *Gunther*. Er macht kurzen Prozess, vergewaltigt *Brünnhilde*, entreißt ihr den Ring und gibt sie *Gunther* zur Frau.

Dauer des 1. Aktes: 1 Stunde 55 Minuten

Zweiter Akt – Doppelhochzeit und Brünnhildes Rache

Auf Schloss Gibichungen wird die Hochzeit von *Siegfried* mit *Gutrune* und *Gunther* mit *Brünnhilde* gefeiert. Letzte ist wenig begeistert, denn sie erkennt den Ring an *Siegfrieds* Finger. Als *Siegfried* immer noch nichts von *Brünnhilde* wissen will und sich mit *Gutrune* zurückzieht, gewinnt *Brünhildes* weibliche Rachsucht die Oberhand. Sie verrät *Hagen* und *Gunther* die einzige Stelle, an der *Siegfried* verwundbar ist.

Dauer des 2. Aktes: 1 Stunde 5 Minuten

Dritter Akt – Siegfrieds Tod und Götterdämmerung

Auf einer Jagd hört die Gesellschaft *Siegfried* zu, der allmählich sein Gedächtnis wiedererlangt. Als *Siegfried* bei seiner jüngsten Vergangenheit angekommen ist und ihm alles dämmert, sticht *Hagen* mit dem Schwert in die einzig verwundbare Stelle, nämlich das Schulterblatt. *Siegfried* wird aufgebahrt und zum Palast gebracht („Trauermarsch").

Brünnhilde nimmt den Ring an sich, schichtet unter *Siegfried* einen Scheiterhaufen auf, zündet alles an und reitet – alles mit sich reißend – mit ihrem Pferd Grane in die Fluten des Rheins. Walhall geht in Flammen auf. Der Ring schließt sich. Alle, die durch ihn die Herrschaft über die Welt erlangen wollten, sind tot. *Die Rheintöchter* behüten wieder den Ring.

Dauer des 3. Aktes: 1 Stunde 20 Minuten

Götterdämmerung – Musik und Libretto: Richard Wagner

Die Uraufführung fand am 17. August 1876 im Festspielhaus Bayreuth statt. Die Spielzeit dieser Oper beträgt circa 4,5 Stunden. Ort und Zeit der Handlung liegen in mythischer Vorzeit. Richard Wagner beschreibt in seinen Regieanweisungen den Walkürenfelsen; Gunthers Hofhalle am Rhein; eine waldige Gegend am Rhein.

Personen: *Siegfried* (Tenor); *Gunther* (Bariton); *Alberich* (Bariton); *Hagen* (Bass); *Brünnhilde* (Sopran); *Gutrune* (Sopran); *Waltraute* (Mezzosopran)

Die Nornen: *Erste Norne* (Alt); *Zweite Norne* (Mezzosopran); *Dritte Norne* (Sopran)

Die Rheintöchter: *Woglinde* (Sopran); *Wellgunde* (Mezzosopran); *Floßhilde* (Alt)

Frauen, Männer (Chor)

Herzog Blaubarts Burg – Béla Bartók

Die Geschichte von *Herzog Blaubart*, dem Mörder seiner Ehefrauen, geht auf eine Sage aus dem 17. Jahrhundert zurück.

Judith folgt *Herzog Blaubart* auf seine Burg. Für ihn hat sie ihren Verlobten, ihre Eltern und Geschwister zurückgelassen. Von einem liebenden Ehemann ist nichts zu spüren. Als sich das Burgtor für immer schließt, findet sie sich in einem dunklen, nassen, eisigen Gemäuer wieder. Mit dem Elan einer frisch Verliebten macht sie sich ans Werk, das traute Heim mit Licht, Liebe und Leben zu füllen. Zuerst kommt die Bestandsaufnahme. Sie stellt fest, dass es sieben verschlossene Türen in der Burg gibt, die ihrer Meinung nach ins Licht und in die Wärme führen müssen.

Judith besteht darauf, dass Blaubart ihr den Schlüssel gibt.

Hinter der ersten Tür hört *Judith* die Mauern seufzen und sieht Ketten, Messer, Henkerbeile. „Meine Folterkammer“, lautet die stolze Erklärung. Hinter der zweiten Tür entdeckt sie blutende Wände, Blut an sämtlichen Kriegsgeräten – *Blaubarts* Waffenkammer.

Jetzt möchte sie es genauer wissen und verlangt die weiteren Schlüssel. Auf seine Frage „Warum? “ hält sie ein entwaffnendes „Weil ich dich liebe“ parat.

Hinter der dritten Tür glitzert es vor lauter Gold und Geschmeide, doch auch in *Blaubarts* Schatzkammer klebt alles voller Blut – von den Wänden bis zu den Kronen. *Judith* öffnet schon die vierte Tür, immer verfolgt von *Blaubart*, der seine Geheimnisse offenbart sieht. Ein schöner Garten kommt ans Licht, mit Rosen und Lilien, an denen Blut klebt.

Für die fünfte Tür gibt *Blaubart* ihr noch den Schlüssel, beschwört sie aber, es damit gut sein zu lassen. Staunend blickt sie auf die riesigen Ländereien von *Blaubarts* Reich.

„Das alles soll nun dir gehören", versucht er sie abzulenken. Auch seine wenig originellen Annäherungsversuche nützen nichts. *Judith* besteht auf den letzten beiden Schlüsseln.

Hinter der sechsten Tür entdeckt sie stilles, helles Wasser.

Jetzt sieht *Judith* endlich klar, trotz ihrer blinden Verliebtheit. Das sind die Tränen seiner früheren Frauen. Einzig getrieben von der Angst, dass er seine Exfrauen mehr geliebt haben könnte als sie, besteht sie darauf, die letzte Tür zu öffnen.

Hier kommt ihr Herzog *Blaubarts* Harem entgegen, dem sie bald angehören wird. Seine früheren Frauen verkörpern die Morgenröte, die Mittagssonne, die Abenddämmerung. Ihr bleibt nur noch die Dunkelheit der Nacht. Bevor sie sich zu seiner Ehefrauen-Sammlung gesellt, beteuert sie noch, nur ihn allein zu lieben.

Sobald die Tür sich hinter *Judith* schließt, steht *Herzog Blaubart* allein in seinem dunklen Gemäuer.

Wie lange?

Informationen zur Oper „Herzog Blaubarts Burg“ (ungarischer Originaltitel A kékszakállú herceg vára):

Béla Bartók komponierte die Musik zu dieser Oper in einem Aufzug. Die Spieldauer beträgt nur ungefähr 1 Stunde. Die Handlung spielt in der imaginären Burg Herzog Blaubarts, eine ungarische Sagengestalt. Diese Geschichte nahmen die Gebrüder Grimm in ihre Sammlung auf; zahlreiche Dichter, Maler und Komponisten variierten dieses Thema. Diese Inhaltsangabe bezieht sich auf den Text von Béla Balázs, deutsche Übersetzung von Wilhelm Ziegler. Die Oper galt als unaufführbar. Die Musik barg ungewohnte technische Schwierigkeiten. Erst als sein nächstes Bühnenwerk, das Ballett „Der holzgeschnitzte Prinz“ aufgeführt wurde, wagte man sich an die Uraufführung der Oper. Sie fand am 24. Mai 1918 im Königlichen Opernhaus in Budapest statt. Bartok änderte ständig um, selbst nach der Uraufführung und nachdem die Partitur 1925 in Druck ging.

Personen: *Herzog Blaubart* (Bariton); *Judith* (Mezzosopran); Blaubarts drei frühere Frauen (stumme Rollen); Sprecher des Prologs

Idomeneo – Wolfgang Amadeus Mozart

Die Oper handelt von einem Versprechen, das nicht eingelöst werden kann, weil der Vater seinen Sohn töten müsste. Das zieht weitere Missverständnisse nach sich.

Idomeneo in Nöten

Der Sage nach wird *Idomeneo*, König der Kreter, mitsamt seiner Flotte auf der Heimfahrt fast vom Meer verschluckt. Um am Leben zu bleiben, schwört er Neptun, den ersten Menschen zu opfern, den er an Land sieht. Dummerweise ist das sein inzwischen erwachsener Sohn *Idamante*. Statt sich über das Wiedersehen zu freuen, stößt der Vater ihn entsetzt weg, scheint nichts mehr von ihm wissen zu wollen.

Idamante, Sohn des *Idomeneo*

Das wiederum kränkt *Idamante*. Als wenn er mit seinen beiden Frauen nicht schon genug eigene Probleme hätte.

Mit der ihm versprochenen *Elettra* hat er eine Tochter, aber er liebt *Ilia*, die Königstochter von Troja. Deren Vater und Brüder wurden von den Kretern getötet, sie selbst in Gefangenschaft genommen. Ilia liebt *Idamante* trotz des Schicksals ihrer Familie ebenfalls, will es aber nicht zugeben. In dem unglücklichen *Idomeneo* erkennt sie einen Gefährten im Geiste und bittet ihn, sie wie seine Tochter zu behandeln. *Idamante* ertappt die beiden bei der anschließenden Umarmung und versteht natürlich alles falsch. Jetzt fühlt er sich auch noch von *Ilia* hintergangen.

Neptun lässt sich erweichen.

Inzwischen meldet sich Neptun wieder und fordert sein versprochenes Opfer. Er lässt ein stürmisches Meeresungeheuer die Flotte vernichten, die Gegend überfluten und die Bevölkerung bedrohen. (Neptun kann wunderbar theatralisch sein.) *Idomeneo* wird von seinem Volk bedrängt, das versprochene Opfer zu bringen.

Der nichts von seiner Opferrolle ahnende *Idamante* zieht frustriert los, um das Ungeheuer zu töten oder selbst den Tod zu finden. Als er siegreich nach Hause kommt, steht *Idomeneo* wieder vor dem gleichen Problem. Er müsste seinen Sohn töten, will aber nicht. *Idamante* erfährt von dem Kuhhandel und ist so froh, den wahren Grund für die Zurückweisung seines Vaters zu kennen, dass er sich freiwillig als Opfer zur Verfügung stellt. Weiß er doch jetzt, dass der Vater nicht auf ihn böse war, sondern „nur" den Götterbefehl aus Liebe zu ihm nicht einlösen wollte.

Ilia* und ihre Liebe zu *Idamante

Als *Idamante* schon blumenbekränzt auf dem Opferblock liegt, verhindert *Ilia* die Tat, indem sie sich als diejenige bezeichnet, die von *Idomeneo* zuerst gesehen wurde. Sie möchte an *Idamantes* Stelle geopfert werden. So viel Großmut versöhnt wiederum Neptun, der *Idomeneo* zur Abdankung zwingt und die beiden Liebenden – *Ilia* und *Idamante* – zum neuen Königspaar erklärt. (Kein) Friede, Freude, Eierkuchen. Zurück bleibt *Elettra*, die in einer großen Schlussarie alle möglichen Leute um sich herum verwünscht.

Idomeneo (Originaltitel: Idomeneo, Rè di Creta) Opera seria mit Musik von Wolfgang Amadeus Mozart.

Das Libretto schrieb Giambattista Varesco nach einer literarischen Vorlage „Idoménée“ von Antoine Danchet. Die Uraufführung fand am 29. Januar 1781 im Residenztheater in München statt. Die Spieldauer der Oper beträgt circa 3 Stunden. „Idomeneo“ spielt in Sidon, der Hauptstadt von Kreta, kurz nach Ende des Trojanischen Krieges.

Personen und ihre Stimmen: *Idomeneo*, König von Kreta (Tenor); *Idamante*, sein Sohn (Mezzosopran oder Tenor); *Ilia*, Prinzessin von Troja, Tochter des Priamus (Sopran); *Elettra*, Tochter des Agamemnon, König von Argos (Sopran); *Arbace*, Vertrauter Idomeneos (Tenor); *Oberpriester des Neptun* (Tenor); *Das Orakel* (Bass)

Il mondo della luna/Die Welt auf dem Monde – Joseph Haydn

In der Oper geht es um den reichen venezianischen Kaufmann *Buonafede*, der den Mond liebt und sich vorstellt, wie schön es dort sein würde. Eine leichte Beute für kreative Betrüger, heiratswillige Hausangestellte und freiheitsliebende Töchter.

Zumindest ist es auf dem Mond schöner als in seinem Zuhause, das *Buonafede* mit *Clarissa* und *Flaminia*, seinen beiden Töchtern in heiratsfähigem Alter, und seiner *Haushälterin Lisetta* teilt. Dabei könnte es so entspannt sein, wenn nur alle das machen würden, was *Buonafede* will. Dann müsste er die Töchter nicht einsperren und hätte die *Haushälterin Lisetta*, die den *Diener Cecco* liebt, zu seiner persönlichen Verfügung.

Clarissa und *Flaminia* wollen endlich frei sein und suchen auf eigene Faust nach Ehemännern, um dem Vater zu entkommen. Den jungen *Leandro*, der in *Clarissa* verliebt ist, lehnt er kategorisch ab. Glücklicherweise lernt *Leandros* Diener *Cecco* einen gerissenen Gauner kennen, der ihm Hilfe verspricht. Der gibt sich als *Doktor aus Bologna* aus, lässt *Buonafede* durch sein Fernrohr schauen und gaukelt ihm vor, die Welt auf dem Mond zu sehen – die Paare, die Mondlandschaft, die Friedlichkeit im Umgang miteinander. Das begeistert *Buonafede* so, dass er seine Geldbörse opfert für dieses Fernrohr. Der *Doktor aus Bologna* wiederum erkennt eine sprudelnde Geldquelle, wenn sie vor ihm steht und möchte sie sich sichern, am besten durch die Heirat mit einer Tochter.

Erst kassiert er aber noch bei *Leandro* und seinem *Diener Cecco* ab, denen er *Clarissa* und *Lisetta* verspricht – er nimmt dann die Mitgift und *Flaminia* – wenn sie bei seinem Plan mitspielen.

Der Doktor macht dem Kaufmann weis, er könne auf den Mond fliegen. Falls er mitkommen wolle, sei er willkommen. *Buonafede* ist von dem Plan begeistert und stimmt zu. Heimlich verabreicht der Doktor seinem Opfer einen Schlaftrunk. Als dieser seine Wirkung entfaltet, wird *Buonafede* in des Doktors Garten verfrachtet. *Buonafede* erwacht. Jetzt wird ihm vorgegaukelt, er befände sich auf dem Mond. Er wird von Mondzofen neu eingekleidet, um dem Mondkaiser vorgestellt zu werden – dem verkleideten *Cecco*. Die herbeigeschaffte *Haushälterin Lisetta* wird trotz *Buonafedes* Protest mit dem Mondkaiser vermählt und zur Mondkaiserin gekrönt. Die beiden Töchter *Clarissa* und *Flaminia*, die von den beiden – als Mondmännern verkleideten – Herren umschwärmt werden, stimmen begeistert der Hochzeitszeremonie zu, denn sie wähnen sich endlich frei. Als die ganze Gesellschaft sich immer mondtrunkener aufführt und *Cecco* sich unkaiserlich danebenbenimmt, erkennt *Buonafede* den Schwindel. Zu spät! Er sitzt in der Falle. Die beiden Töchter sind verheiratet, die Haushälterin ist er los, und wenn erst herauskommt, wie er an der Nase herumgeführt wurde – nicht auszudenken.

Happy-endlich könnte alles so kommen, wie es sich in einer derartigen Oper gehört, sofern ein ambitionierter Regisseur nicht anderer Meinung ist und aus diesem Luststück ein Trauerspiel macht.

Die Welt auf dem Monde/Il mondo della luna von Joseph Haydn. Komische Oper (Dramma giocoso) in drei Akten mit einem Libretto von Carlo Goldoni. Die Uraufführung fand am 3. August 1777 in Esterhazy statt - als Auftragswerk zur Vermählung des zweiten Sohnes von Haydns Dienstherrn Fürst Nikolaus mit Maria Anna Gräfin von Weissenwolf. Die Handlung spielt in Venedig um 1750. Die Spieldauer der Oper beträgt circa 2 Stunden 30 Minuten.

Orchesterbesetzung: je zwei Flöten, Oboen, Klarinetten, Fagotti, Hörner, Trompeten, eine Pauke, ein Cembalo und Streicher

Personen: *Buonafede*, ein reicher Kaufmann (Bass); *Clarissa*, seine Tochter (Sopran); *Flaminia*, seine Tochter (Sopran); *Leandro*, deren Liebhaber (Tenor); *Cecco,* dessen Diener (Tenor); der Doktor aus Bologna (Bariton); *Lisetta*, Hausverwalterin (Alt); vier Spaßmacher (Tenöre und Bässe)

Katja Kabanova – Leoš Janáček

Die Oper handelt von einer allein gelassenen Frau, die lieber in die Wolga geht, als ihrer herrischen Schwiegermutter zu gehorchen.

Erster Akt – Katja verliebt sich in Boris; ihr Mann verreist und lässt sie mit der Schwiegermutter allein.

Nur kurz kann der *Lehrer Kudrjáš* die Ruhe am Ufer der Wolga genießen, bevor er den tyrannischen Kaufmann *Dikoj* erleben darf, der seinen *Neffen Boris* vor sich hertreibt und irgendwann genervt entschwindet. Die beiden exerzieren eine Art Überlebenstraining, das mit *Boris'* Volljährigkeit endet – oder auch nicht! Verhält sich *Boris* gegenüber seinem *Onkel Dikoj* gehorsam, erhält er das Erbe seiner Großmutter. Verweigert er den Gehorsam, erbt sein *Onkel Dikoj*.

Kaum tritt Ruhe ein, naht die Kaufmannswitwe *Kabanića* mit ihrem Sohn Tichon und dessen Frau *Katja*, in die *Boris* heimlich verliebt ist. Auch *Tichon* liebt seine Frau *Katja*. Das ist wiederum der bisherigen Alleinherrscherin *Kabanića* ein Dorn im Auge, denn sie fühlt sich zur zweiten Geige degradiert. Zur Strafe schickt sie *Tichon* auf eine zweiwöchige Reise auf den Markt und bekrittelt sogleich alles an *Katja*, was ihr gerade so einfällt – und das ist eine ganze Menge.

Daheim vertraut *Katja* der Pflegetochter *Warwara* ihr ungutes Bauchgefühl an, sich die Liebe zu einem anderen Mann einzubilden. Als sich *Tichon* von ihr verabschiedet, bedrängt sie ihn, ihr ein Versprechen abzunehmen. Sie, *Katja*, soll ihm, *Tichon*, schwören, dass sie, *Katja*, in seiner Abwesenheit keinen anderen Mann anschaut. Stattdessen plappert das Muttersöhnchen brav alles nach, was die *Kabaniča* ihm vorsagt, was zusammengefasst als „der Schwiegermutter bedingungslos gehorchen“ abgekürzt werden kann.

Von „keinen anderen Mann anschauen“ hat er nichts gesagt – was für den Ausgang der Oper von Bedeutung sein soll.

Zweiter Akt – Warwara und Katja treffen sich heimlich mit ihren Geliebten.

Warwara kümmert sich nicht um die Meinung und Verbote ihrer Pflegemutter *Kabaniča*, streicht ihr Honig um den Bart und macht, was sie will. Sie will Spaß haben und findet Mittel und Wege. Ganz einfach umgeht sie die geschlossene Gartentür des Landsitzes, die von der *Kabaniča* immer verriegelt gehalten wird. Sie besitzt einen Nachschlüssel. Mit dem Lehrer *Kudrjáš* trifft sie sich, während die Mägde *Glaša* und *Fekluša* Schmiere stehen. Erst ziert sich *Katja*, dann macht sie es mit *Boris* genauso.

Dritter Akt – Katjas Ehebruch und Tod in der Wolga

Auch *Katjas* Ehemann Tichon kehrt irgendwann von seiner Reise zurück; das normale Leben geht weiter. Während eines heftigen Gewitters treffen sie sich in einem Unterstand: *Kudrjáš*, sein Freund *Kuligin*, *Dikoj*, *Kabaniča*, *Tichon*, *Katja*, *Boris* und andere (Chor). Auf taube Ohren stößt *Kuligin*, der das Gewitter mit Elektrizität erklären will. Ein Gewitter wird hier als Strafe Gottes angesehen. Genau so sieht es *Katja*, die ob der Heftigkeit von Donner und Blitz ihr Techtelmechtel mit *Boris* eingesteht. Auf Ehebruch – wohlgemerkt, wenn es sich um die Frau handelt – steht die Todesstrafe. Bevor sie gelyncht wird, flieht sie lieber nach draußen Richtung Wolga. Hier findet sie *Boris*.

Er möchte sich jedoch nur, mit Krokodilstränen im Auge und einer sehnsuchtsvollen Arie auf den Lippen, von ihr verabschieden. Nach *Katjas* Ehebruch-Geständnis hat ihn sein Onkel *Dikoj* ins äußerste Sibirien verbannt.

Boris entscheidet sich klar für Geld statt Liebe und bringt damit zwei Menschen den Tod. Katja kann diese Entscheidung emotional nicht verkraften und geht in die Wolga.

Tichon bricht über der gefundenen Leiche zusammen – gibt aber vorher die Schuld dafür an seine Mutter *Kabaniča* weiter. So hat er ihr wenigstens einmal in seinem Leben widersprochen.

Kátja Kabanová – Leoš Janáček

Das Libretto stammt ebenfalls von Leoš Janáček, nach Alexander Nikolajewitsch Ostrowskis Schauspiel „Gewitter".

Von 1919 bis 1921 arbeitete Janáček an der Komposition. Die Uraufführung fand am 23. November 1921 im Nationaltheater Brünn statt, die deutsche Erstaufführung am 8. Dezember 1922 im Opernhaus Köln. Schon damals galt der Opernstoff als sozialkritisch. Die Oper spielt in der zweiten Hälfte des 19. Jahrhunderts in einem Dorf an der Wolga. Die Spieldauer beträgt circa 140 Minuten.

Max Brod übersetzte den Operntext ins Deutsche. Häufig wird tschechisch gesungen – mit deutschen Übertiteln – denn die Sprachmelodie ist darauf ausgerichtet.

„Es war Dein Bild, das ich in Kát'a Kabanová sah, als ich die Oper komponierte." Das schreibt Janacek der platonischen Leidenschaft seiner späten Jahre – Kamilla. Es ist das Porträt einer aus dem Rahmen fallenden, leidenschaftlichen Frau, die mit den Anstandsregeln ihrer Zeit und ihrer Gesellschaftsschicht bricht. Dafür bezahlt sie einen hohen Preis – ihr Leben.

Personen:

Sawjol Prokofjewitsch Dikoj, ein Kaufmann (Bass); *Boris Grigorjewitsch*, sein Neffe (Tenor); *Marfa Ignatjewna Kabanová* (die „Kabaniča“), eine reiche Kaufmannswitwe (Alt); *Tichon Iwanytsch Kabanow*, ihr Sohn (Tenor); *Katja*, seine Frau (Sopran); *Váňa Kudrjáš*, Lehrer, Chemiker, Mechaniker (Tenor); *Warwara*, Pflegetochter der Kabaniča (Mezzosopran); *Kuligin*, Freund des Kudrjáš (Bariton); *Glaša, Fekluša*, Dienerinnen bei der Kabaniča (Mezzosopran); *Eine Frau aus dem Volk* (Alt); Bürger (Chor)

La Bohème – Giacomo Puccini

Die Oper handelt von (Lebens-)Künstlern in Paris, die ihre Kunst dem Leben opfern müssen. Ein Maler, ein Musiker, ein Philosoph und ein Dichter, der sich verliebt - was zur tränenträchtigsten Sterbeszene der Operngeschichte führt.

Erstes Bild – eiskalte Mansarde mit großen Atelierfenstern

Der *Maler Marcel* und der *Dichter Rodolfo* frieren, denn Heizmaterial ist keines vorhanden; also machen sie mit *Rodolfos* Roman-Manuskript ein Feuer. *Colline*, der Philosoph, kommt hinzu und hilft mit, die letzten Kapitel zu verheizen. *Schaunard*, der Musiker und Letzter im Freundesquartett, bringt etwas zu spät Holz, Wein und Köstlichkeiten zum Essen, die er von einem reichen Engländer als Lohn bekam.

Mitten in den Festschmaus platzt der Hausbesitzer *Benoît* und fordert seine Miete. Die vier bitten ihn herein, geben ihm zu trinken und schmeicheln ihm mit seiner Ausstrahlung auf Frauen. Der Hausherr erzählt freiwillig von seinen Seitensprüngen, worauf sie ihn empört rausschmeißen. Mit der Drohung, es seiner Frau zu verraten, hinterlassen sie einen bedröppelten Schwadroneur und sparen dabei die Miete.

Marcel, *Colline* und *Schaunard* gehen mit dem unerwarteten Geldsegen ins Lokal, während *Rodolfo* zurückbleibt, um noch einen Artikel zu Ende zu schreiben. Gestört wird er dabei von *Mimi*.

Die einsame Blumenstickerin sucht Kontakt und fragt bei *Rodolfo* an, ob ihr jemand die Kerze wieder anzünden könne – die sie kurz vor seiner Wohnungstür ausgeblasen hat.

Es folgt ein Liebesgeplänkel mit bekannten Arien „Wie eiskalt ist das Händchen“ …

Beide tun einiges, um sich nicht trennen zu müssen. *Mimi* lässt ihren Schlüssel fallen, *Rodolfo* findet ihn in der Dunkelheit nicht, weil auch er (un)absichtlich seine Kerze ausbläst. So bleibt ihnen nichts weiter übrig, als sich schnell ineinander zu verlieben und die Mansarde miteinander zu teilen.

Zweites Bild – Weihnachtsfeier der Freunde im Café

Später flanieren sie durch die Gassen von Paris und gehen zum Feiern ins Lokal. Diese Zwischenszenen werden mit viel Musik, Kinderchor, Chor, Spielzeugverkäufer und Lokalkolorit ausgefüllt.

Im Café wird *Mimi* den Freunden vorgestellt. Später erscheint die schöne *Musette* mit ihrem betagten, aber steinreichen Liebhaber, dem *Staatsrat Alcindoro*. *Marcello* beachtet sie nicht, was sie anstachelt, ein Lied auf ihre Unwiderstehlichkeit zu singen. Damit singt sich *Musette* wieder in *Marcellos* Herz. Ihren alten Liebhaber schickt *Musette* los, um ihren Schuh reparieren zu lassen.

Ehe er zurückkommt, machen sich *Rodolfo*, *Mimi*, *Marcel*, *Schaunard*, *Colline* und *Musette* aus dem Staub. Dem greisen *Alcindoro* hinterlassen sie die Rechnung für ihr Gelage.

Drittes Bild – Mimi sucht und findet Rodolfo im Haus auf dem Lande.

Mimi sucht *Rodolfo*, der sie am Morgen verlassen hat. Sie findet ihn bei *Marcel*, der für eine Wirtschaft eine Hausfassade bemalt und für diese Zeit mit *Musette* in dem Haus auf dem Lande wohnt. Wieder große Chorszenen mit Landleuten, Soldaten, Zollwachen, Bäuerinnen. Hier zeigen Regisseure und Ausstatter ihr Bestes.

Mimi klagt *Marcel* unter Hustenanfällen ihr Leid, denn *Rodolfo* hat sich als sehr eifersüchtig erwiesen. Jetzt, wo sie ihn gefunden hat, will sie zwar sofort wieder gehen, versteckt sich aber und belauscht heimlich die Auseinandersetzung der beiden Freunde. *Rodolfo* liebt zwar *Mimi* immer noch, möchte sich aber von ihr trennen, damit sie sich einen reichen Mann suchen kann.

Wegen *Mimis* Krankheit fühlt er sich schuldig, denn in seiner Mansarde ist es bitterkalt. Wie immer fehlt es an Heizmaterial.

Als *Mimi* hört, dass er sie vor lauter Sorge um ihre Gesundheit verlassen hat, kommt sie aus ihrem Versteck hervor. Zu Beginn des langen Versöhnungs-Duettes von *Mimi* und *Rodolfo* bemerkt *Marcel,* dass seine *Musette* mit den anderen Männern im Haus turtelt. Während *Mimi* und *Rodolfo* auf einer Seite der Bühne von Blumen und Vögeln singen, fliegen gleichzeitig auf der anderen Seite der Bühne bei *Musette* und *Marcel* die Fetzen. Die Zuschauer bekommen Bruchstücke davon mit:

„Lilien und Rosen“ … „Kneipenschildermaler“ … „Vöglein zwitschern“ … „Schlange du“ … „dir gehör’ ich fürs Leben“ … „Ich bin doch nicht mit dir verheiratet“ …

Viertes Bild – Mimis große Sterbeszene

Marcel, der Maler, und *Rodolfo*, der Poet, sitzen zusammen im Atelier. Ihnen geht die Arbeit nicht von der Hand, denn beide leiden an Liebeskummer. *Musette* und *Mimi* haben sie seit Monaten nicht gesehen. Als der *Musiker Schaunard* und der *Philosoph Colline* dann auch noch mit einem einzigen Salzhering für das gemeinsame Abendessen erscheinen, albern sie herum, statt in Jammer über ihre Armut zu zerfließen.

Sie äffen die feinen Damen beim Tanz nach und duellieren sich wie die feinen Herren – mit Schürhaken und Kohlenschaufel.

In den ausgelassenen Trubel platzt *Musette*. Sie kündigt *Mimi* an, die vor Schwäche nicht die Treppe hochkommt. *Mimi* hat ihren Grafen verlassen, obwohl es ihr immer schlechter ging. Als Letztes möchte sie *Rodolfo* wiedersehen.

Es folgt eine der wohl ergreifendsten und längsten Sterbeszenen der Operngeschichte, für die Taschentücher bereitliegen sollten. Aufwühlende Musik kombiniert mit zu Herzen gehenden Bildern.

Musette versetzt ihre Ohrringe, um einen Muff für *Mimis* kalte Händchen zu besorgen, *Marcel* kauft ihr Medizin, *Colline* bringt seinen geliebten Mantel – dessen Taschen schon so viele Philosophenbücher beherbergten – ins Pfandleihhaus, und *Schaunard* geht vor die Tür, damit die Liebenden allein sein können. Trotz der letzten Fürsorge der Freunde stirbt *Mimi*.

Wenn da am Ende noch ein Auge trocken bleibt, ist mit der Inszenierung etwas schiefgelaufen.

La Bohème/Die Bohème, Oper in vier Bildern mit Musik von Giacomo Puccini. Das Libretto schrieben Giuseppe Giacosa und Luigi Illica, nach dem Roman (erschienen 1851) „Scènes de la vie de Bohème“ von Henri Murger. Das Schauspiel „La vie de Bohème“ von Henri Murger und Theodore Barrière wurde 1849 uraufgeführt.

Uraufführung der Oper fand am 1. Februar 1896 in Turin (Teatro Regio) unter Arturo Toscanini statt. Die deutsche Erstaufführung am deutschen Opernhaus in Berlin dirigierte Ignatz Waghalter. Die Oper spielt im Winter um 1830 herum in Paris. Die Spieldauer beträgt circa 1 Stunde 50 Minuten.

Die Uraufführung wurde von der Kritik und dem Publikum nicht sonderlich freundlich aufgenommen. Auch die zweite Inszenierung am 23. Februar in Rom im Teatro dell'Argentina erwies sich als Flop. Erst die Aufführung am 14. April 1896 in Palermo wurde zum Volltreffer: „Dreitausend Hörer wollten am Ende, eine Stunde nach Mitternacht, das Haus nicht eher verlassen, bis Mugnone mit dem noch anwesenden Teil des Orchesters und den überwiegend schon umgekleideten Sängern das ganze Finale wiederholte.“

Personen: *Rodolfo*, Dichter (Tenor); *Schaunard*, Musiker (Bariton); *Marcello*, Maler (Bariton); *Colline*, Philosoph (Bass); *Mimi* (Sopran); *Musetta* (Mezzosopran); *Benoît*, Hausherr (Bass); *Alcindoro*, Staatsrat (Bass); *Parpignol* (Tenor); Sergeant der Zollwache (Bass); ein Zöllner (Bass); Chor von Studenten, Näherinnen, Bürger, Verkäufer und Verkäuferinnen, Straßenhändler, Soldaten, Kellner, Knaben, Mädchen usw.

La Cenerentola/Aschenputtel – Gioachino Rossini

Aschenputtel oder **Der Triumph der Güte**

Rossini verwendet für diese komische Oper das Märchen vom Aschenputtel, allerdings leicht abgewandelt.

Erster Akt – Cenerentolas Stieffamilie; Einladung zum Ball; Cenerentolas Verwandlung

Nach dem Tod der Mutter lebt *Cenerentola* als Magd bei ihren Stiefschwestern *Clorinda* und *Tisbe* sowie ihrem Stiefvater *Don Magnifico* in einer heruntergekommenen Villa. Da er kein Geschick fürs Geld behalten oder gar verdienen hat, muss der Vater seine Töchter gut verheiraten, um auf Kosten der Schwiegersöhne gut leben zu können.

Die Jahre vergehen. Bisher hat sich noch keine ansprechende Partie gefunden. Eines Tages erscheint *Alidoro*, ein Vorbote des heiratswilligen Prinzen, in Gestalt eines Bettlers in der Villa. Von den Schwestern wird er brüsk abgewiesen, während *Cenerentola* ihm Essen und Trinken gibt. Somit hat sie sich als mögliche Heiratskandidatin qualifiziert.

Die zweite Prüfung verläuft ebenfalls positiv. Der Prinz kommt als Diener verkleidet in das Haus, während sein Diener *Dandini* in den Kleidern des Prinzen den beiden Schwestern den Hof macht. Somit sind *Clorinda* und *Tisbe* abgelenkt und *Cenerentola* und der *Prinz* können sich Hals über Kopf ineinander verlieben.

Der wieder zivile Vorbote *Alidoro* lädt alle Frauen im heiratsfähigen Alter zu einem Ball in den Palast ein. Der Prinz wird sich dabei die Anmutigste als seine Gemahlin aussuchen.

Sofort geraten die beiden Schwestern in Panik, scheuchen *Cenerentola* durch die Gegend, damit sie ihnen die Frisuren, Make-up, Kleider, Schuhe und alles ähnlich Wichtige richtet. Als die beiden Schwestern endlich aufgebrezelt von dannen ziehen, bittet *Cenerentola* ihren Stiefvater, sie auch auf den Ball gehen zu lassen. *Don Magnifico* weist sie strikt in ihre Grenzen. Nicht einmal eine Stunde lang will er sie ziehen lassen. Für sie muss er sich ja schämen.

Der Bote *Alidoro* hat die familiäre Auseinandersetzung verfolgt und fragt naiv nach, wo denn die dritte Tochter sei, die in seinem Register steht. *Don Magnifico* fürchtet wegen *Cenerentola*s ärmlichen Aussehens eher eine Blamage als eine Konkurrenz für seine anderen Töchter, erklärt Cenerentola für tot und begibt sich auf den Ball.

Das haut *die quicklebendige Tochter* erst einmal um. Als ihr *Alidoro* allerdings eine exquisite Ballgarderobe herbeizaubert, findet sie sich sowohl in ihrer neuen Rolle als auch im Palast des Prinzen schnell zurecht. Weder *Tisbe* noch *Clorinda* noch *Don Magnifico* erkennen sie wieder. *Don Magnifico* taucht sowieso erst einmal in den Weinkeller ab, in dem er bei zunehmendem Alkoholpegel in immer schwärmerische Wunschvorstellungen versinkt.

Zweiter Akt – Prinz und Diener tauschen die Rollen rückwärts; Traumschlösser brechen zusammen; der Prinz findet seine Prinzessin.

Dandini hat sich an sein Prinzendasein gewöhnt. *Clorinda* und *Tisbe* reißen sich um ihn.

Als *Dandini* ihnen vorschlägt, dass er eine heiraten wird und die andere doch seinen Diener nehmen sollte, antworten beide mit empörtem Schnappatmungsgesang. Siegessicher macht er daraufhin der schönen Unbekannten den Hof. Umso erstaunter ist er, dass er von ihr zurückgewiesen wird – ausgerechnet mit dem Argument, dass sie seinen Diener(!) liebt. Der Prinz in seiner Diener-Verkleidung hat das natürlich am Rand stehend mitbekommen, eilt zu ihr und möchte sie gleich vom Fleck weg heiraten. Auch ihm erteilt sie überraschend eine Abfuhr. Damit hat er nicht gerechnet!

Cenerentola überreicht ihm eines ihrer beiden Armbänder. Wenn er sie anhand des tupfengleichen Accessoires wiederfindet und sie ihm immer noch gefällt, wird sie ihn heiraten. Weg ist sie.

Jetzt, da der Prinz seine Prinzessin ausgewählt hat, sieht er keine Veranlassung mehr, in Dienerkleidung herumzulaufen. Das bedeutet für *Dandini* das Ende des schönen Doppellebens. Für *Don Magnifico* bedeutet dieser Wandel der Einsturz seines Karten(hoch)hauses.

Cenerentola weilt wieder im Haus. Die Schwestern und *Don Magnifico* kommen gerade noch rechtzeitig vor dem aufziehenden Gewitter heim. Und zufällig hat die Kutsche des suchenden Prinzen ausgerechnet vor deren Haus eine Panne, sodass er vor dem aufziehenden Gewitter in ihrem Hause Schutz sucht.

Natürlich erkennt der Prinz seine Traumprinzessin an ihrem Armband wieder. Jetzt wird es brenzlig für die Stieffamilie; aber jedes Märchen geht gut aus. Wie der Titel schon besagt, triumphiert hier nicht der gesunde Menschenverstand oder die Rache, sondern die Güte.

La Cenerentola (Oper) mit Musik von Gioacchino Rossini das Libretto schrieb Jacopo Ferretti nach einer literarischen Vorlage von Charles Perrault, der sich wiederum am Märchen vom Aschenputtel orientierte. Die Oper von etwa 2 Stunden 30 Minuten Spieldauer wurde am 25. Januar 1817 im Teatro della Valle in Rom uraufgeführt.

Personen: *Prinz von Salerno* (Tenor); *Dandini*, sein Diener (Bass); *Don Magnifico* (Bass); *Clorinda*, seine Tochter (Sopran); *Tisbe*, seine Tochter (Mezzosopran); *Cenerentola*, seine Stieftochter (Mezzosopran); *Alidoro*, Bote (Bass)

La Sonnambula/Die Nachtwandlerin – Vincenzo Bellini

Die Oper „Die Nachtwandlerin“ handelt von einer verlobten Frau, die nachts im Bett eines anderen Mannes gefunden wird und nicht weiß, wie sie da hineinkam.

Erster Akt – *Amina* und *Elvino* verloben und entloben sich.

Elvino, ein wohlhabender Bauer, möchte *Amina* heiraten. *Amina* ist die Pflegetochter der *Müllerin Teresa* und damit arm. *Elvino* ist aber so verliebt, dass er darüber hinwegsieht. Bei der Verlobung vor dem *Notar* gibt er in der Aufstellung an, was er an Gütern in die Ehe mitbringt. *Aminas* Mitgift wird vom *Notar* im Verlobungsvertrag aufgezeichnet: ihr Herz. Für *Elvino* ist es die größte vorstellbare Gabe. Das ganze Dorf singt sich in freudiger Erwartung auf das Fest ein.

Lediglich die Wirtin *Lisa* kann sich an dem Freudentaumel nicht beteiligen. Sie war früher einmal mit *Elvino* befreundet und betrachtet seine Verlobung mit *Amina* als Verrat. Sie will sich auch nicht mit *Alessio* zufriedengeben, der sie verehrt. Je mehr sich *Alessio* um sie bemüht, umso kratzbürstiger wird *Lisa*.

Elvino und *Amina* versichern sich in einem höchst emotionalen Duett ihre gegenseitige Liebe. Auf dessen Höhepunkt möchte *Elvino* seiner *Amina* den Verlobungsring an den Finger stecken. Leider dauert das Duett zu lange, denn inzwischen taucht ein geheimnisvoller vornehmer Herr auf, der sich später als verschollen geglaubter Sohn des Grafen herausstellen wird.

Rodolfo zieht alle Aufmerksamkeit auf sich, während er seine Blicke voll auf die schöne *Amina* konzentriert. Ihre Gestalt – besonders die Augen – erinnern ihn an seine große Liebe, die aber schon lange zurückliegen muss. *Amina* fühlt sich geschmeichelt. *Elvino* reagiert eifersüchtig, wird aber von *Amina* in einer zärtlichen Liebesarie besänftigt.

Lisa, die Gastwirtin, schaut bei dem Charmeur *Rodolfo* in seinem/ihrem Gastzimmer nach dem Rechten – ziemlich ausgiebig. Als die schlafwandelnde *Amina* – auf der Suche nach *Elvino* – das Zimmer betritt, versteckt sie sich. *Amina* redet den verwirrten *Grafen* wie ihren Verlobten an. Sie meint *Elvino* gefunden, ihre Mission damit beendet zu haben und legt sich erschöpft zur Ruhe – in das Bett des *Grafen.*

Lisa kommt aus ihrem Versteck, mobilisiert *Elvino* und die ganze Dorfgemeinschaft und zeigt ihnen die schlafende *Amina. Elvino* ist entsetzt. Die Nachbarn sind entsetzt. Der *Graf* – nun ja – ist etwas verwirrt.

Amina erwacht zu dem Zeitpunkt, an dem sie von ihrem Verlobten verstoßen und von der Dorfgemeinschaft verachtet wird. Sie beteuert zwar schlaftrunken ihre Unschuld, aber niemand mag ihr glauben.

Zweiter Akt – *Elvino* rastet aus; *Teresa* renkt es wieder ein; die Hochzeit wird gefeiert.

Elvino ist derart in seiner Ehre gekränkt, dass er weder *Aminas* Unschuldsbeteuerungen noch den Verharmlosungen des *Grafen* Glauben schenken will. In seinem Trotz geht er so weit, sich mit *Lisa* zu verloben. Auf dem Weg zur Kirche wird die triumphierende *Lisa* von *Teresa*, *Aminas* Pflegemutter, aufgehalten.

Im Gastzimmer des Grafen fand sie in der besagten Nacht ein intimes Accessoire von *Lisa*, das sie jetzt vor aller Augen ausbreitet. *Elvino* fühlt sich wiederum betrogen und lässt auch diese Hochzeit platzen. Fast wäre er ins Kloster gegangen oder vor Gram bösartig geworden, hätte er nicht *Amina* auf dem Dach entdeckt. Während sie im Schlaf wandelt, singt sie ein Liebeslied, in dem sie ihre Unschuld und *Elvino* ihre Liebe beteuert. Nachdem sie glücklich wieder am Boden angekommen ist, kann die Hochzeit endlich gefeiert werden.

Die Nachtwandlerin (La Sonnambula), Melodrama in zwei Akten. Die Musik schrieb Vincenzo Bellini, das Libretto verfasste Felice Romani nach einer literarischen Vorlage „La sonnambule ou l'arrivée d'un nouveau seigneur“ von Eugène Scribe. Die Uraufführung der Oper fand am 6. März 1831 in Mailand statt. Die Spieldauer beträgt circa 2 Stunden 30 Minuten. Die Oper spielt in einem schweizerischen Gebirgsdorf.

Personen; *Graf Rodolfo*, Herr des Ortes (Bass); *Teresa*, Mühlenbesitzerin (Mezzosopran); *Amina*, von Teresa adoptierte Waise, verlobt mit Elvino (Sopran); *Lisa*, Wirtin, in Elvino verliebt (Sopran); *Elvino*, reicher Grundbesitzer, Verlobter von Amina (Tenor); *Alessio*, Dorfbewohner, in Lisa verliebt (Bass); Notar (Tenor); Chor der Dorfbewohner

La Traviata – Giuseppe Verdi

In der Oper La Traviata (die vom Weg abgekommene) wird der Berufsstand einer Kurtisane beschrieben. Diese Dienstleistung ermöglicht es, intelligenten, schönen und geschäftstüchtigen jungen Frauen in „Höhere Stände“ aufzusteigen, in die sie von Geburt aus nie gekommen wären. In den Salons sind sie wegen ihres Unterhaltungswertes beliebt. Sie werden geduldet, denn die Gesellschaft kann sichergehen, dass sie sich nicht vermischen. Aus diesem Grunde werden sie auch „Halbweltdamen“ genannt – sie gehören nur zur Hälfte dazu.

Sie verteilen ihre Gunst nicht an jeden. Sobald sie einem Herrn eine Blume überreichen, darf dieser sich zu ihren Liebhabern zählen und sie besuchen, sobald die Blume verwelkt ist. Besonders beliebt sind die Kamelien, denn sie sind sowohl teuer als auch kurzlebig – das führte zu der Bezeichnung Kameliendame. Die Frauen gewinnen an Prestige und finanziellen Zuwendungen, sobald ein Herr von (Geld-)Adel ihr Liebhaber wird. Auch die Herren profitieren davon, weil sie sich öffentlich mit einer Kurtisane schmücken können.

Wie schon Marcel Proust seine Liebe zu Odette beschreibt, passiert einigen Herren ab und zu etwas Unerwartetes – sie verlieben sich. Odette verhält sich folgerichtig und lässt den Galan auflaufen, kümmert sich mehr um ihre anderen Liebhaber und vergisst den verliebten Hahnrei.

Erster Akt – Rauschendes Fest im Salon der Madame Flora.

Violetta hat es geschafft, sich durch immer höhergestellte und reichere Liebhaber einen besonderen Status zu verschaffen. Doch dann verliebt sie sich in *Alfredo*, einen unbedarften jungen Mann – ausgesprochen unprofessionell für eine Dame aus ihrem, dem ältesten Gewerbe.

Diese Oper glänzt durch die luxuriöse Ausstattung der Salons. Die Bälle in den vornehmen Häusern böten sowohl Kostümbildnern als auch Bühnenbildnern sooo viele Möglichkeiten – wenn nur die Etatvorgaben nicht wären. Chor, Ballett und Statisten erlauben leider nur so viel Luxus, wie sich das Budget des Opernhauses leisten kann.

Zweiter Akt – Violetta lebt mit ihrem Alfredo in einem Landhaus bei Paris.

Verkehrte Welt: Jetzt gibt Violetta ihr ganzes angesammeltes Vermögen aus, um mit dem Mann ihrer Träume auf dem Land leben zu können. Da nichts mehr von außen dazu kommt, schrumpft ihr Besitz immer weiter zusammen. *Alfredo*, Sohn reicher Eltern und wahrscheinlich nie mit Geldsorgen konfrontiert, erfährt zufällig von ihrer Zofe davon. Sofort macht er sich auf den Weg, um Nachschub zu beschaffen. Er tut es auf die Art, die er am besten kennt – er spielt Karten.

Zwischenzeitlich taucht *Alfredos* Vater auf, um *Violetta* von seinem Sohn abzubringen. Er verwaltet das Familienvermögen und sieht dasselbe durch *Violetta* gefährdet. Weiß er doch, was so eine Kurtisane kostet.

Als er erfährt, dass es *Violetta* war, die den Lebensunterhalt bestritten hat, und auch ihre Liebe zu seinem Sohn bemerkt, ändert er seine Strategie.

Er appelliert an ihre Gutherzigkeit, denn mit einer Kurtisane in der Familie könne er seine Tochter nicht an einen vermögenden Mann verheiraten. Das überzeugt *Violetta*, die daraufhin *Alfredo* einen Abschiedsbrief schreibt und nach Paris zurückkehrt. *Alfredo*, der inzwischen genügend Geld eingespielt hat, reist ihr wutentbrannt nach.

Dritter Akt – Im Salon der Madame Flora kommt es zum Eklat.

Violetta erscheint mit einem früheren Liebhaber. *Alfredo* sitzt am Spieltisch und gewinnt eine Partie nach der anderen. Als sie ihn bittet zu gehen, schmeißt er ihr das Geld vor die Füße und zahlt sie damit öffentlich aus. *Alfredo* ist derart wütend, dass es selbst der skandalgewöhnten Pariser Gesellschaft zu viel wird. Derartig darf niemand eine Frau beleidigen. Der Vater klärt *Alfredo* auf – zu spät.

Vierter Akt – Violetta leidet an Schwindsucht – eine tödliche Krankheit.

Total verarmt lebt *Violetta* mit ihrer Zofe, gezeichnet vom Tod. Als sie draußen fröhliches Karnevalstreiben hört, gibt sie den Armen die Hälfte ihres verbliebenen Vermögens – 10 Louisdor – Pfennigbeträge.

Sowohl *Alfredo* als auch sein Vater kommen unabhängig voneinander, aber zu spät. *Alfredo* schwört ihr ewige Liebe; sein Vater ist bereit, sie als Tochter anzuerkennen.

Es folgt eine herzzerreißende Sterbeszene, für die italienische Opern berühmt sind. Damit werden Verbindungen, die einfach nicht sein dürfen, endgültig und tränenreich aus der Welt geschafft.

La Traviata – die Musik zu dieser Oper in vier Akten komponierte Giuseppe Verdi, das Libretto schrieb Francesco Maria Piave. Er richtete sich nach der literarischen Vorlage von „La dame aux camélias“ von Alexandre Dumas d. J., ein zur damaligen Zeit populärer Skandalroman. Die Uraufführung am 6. März 1853 in Venedig, im Teatro La Fenice, dauerte 2 Stunden 30 Minuten und war – gelinde gesagt – ein Flop. Heute gehört diese Oper zu den meist gespielten.

Personen: *Violetta Valery* (Sopran); *Flora Bervoix*, Freundin von Violetta (Mezzosopran); *Annina*, Dienerin und Vertraute Violettas (Sopran); *Alfredo Germont*, Geliebter Violettas (Tenor); *Giorgio Germont*, sein Vater (Bariton); *Gastone*, Bekannter von Violetta und Alfredo (Tenor); *Barone Douphol*, Bekannter Violettas, auch ihr Verehrer (Bariton); *Marchese d'Obigny*, Bekannter Violettas (Bass); *Dottore Grenvil*, Violettas Arzt (Bass); *Giuseppe*, Violettas Diener (Tenor); ein Diener Floras, (Bass); ein Dienstmann (Bass); Freunde Violettas und Floras, Stierkämpfer, Zigeuner, Maskierte u.a. (Chor)

L’Enfant et les Sortilèges - Maurice Ravel

Die Oper handelt von einem widerspenstigen Kind, das vor Zorn die Einrichtung zertrümmert und Tiere quält. Die verbünden sich gegen es und rächen sich subtil auf ihre Weise!

Erster Teil – am Schreibtisch sitzt ein Schulkind und druckst an seinen Hausaufgaben herum, weil es lieber spielen möchte.

Als die *Mutter* nach ihm schaut, steckt es ihr die Zunge heraus – ein zu Colettes Zeiten unerhörtes Benehmen, das sofort mit Stubenarrest geahndet wird. Das bringt den Hausaufgabenverweigerer erst recht in Rage. Er zerdeppert *Tasse* und *Teekanne*, quält das im Bauer sitzende *Eichhörnchen*, zieht die *Katze* am Schwanz. Und wo er schon einmal so richtig mit Jähzorn dabei ist, reißt er die Tapete von der Wand und kippt die *Standuhr* um. Sein Credo, lange bevor es für „antiautoritär“ überhaupt ein passendes Wort gibt, fasst der kleine Satansbraten in folgende Worte: „Ich bin böse und frei!“

Zweiter Teil – kaum möchte es sich – erleichtert über das getane Werk – im Lehnstuhl ausruhen, beginnen die Gegenstände um ihn herum lebendig zu werden.

Eine ständig schlagende *Standuhr* kommt mit den übrigen zerstörten Gegenständen auf ihn zu, und zwar im Foxtrott-Rhythmus der wilden Zwanziger Jahre. *Eine Prinzessin* tritt mit Flötenbegleitung aus dem zerfetzten Lesebuch; das *Rechenmännchen* formuliert im Stakkato die ungeübten Mathematikaufgaben.

Bei einem leidenschaftlichen Katzenduett (miau, miauhmi-au ...) verschwinden die Zimmerwände, und *das ungezogene Kind* findet sich in der freien Natur wieder. Es lauscht den zauberhaften Gesängen der *Insekten, Frösche, Kröten, Eulen ...*

Als die Tiere das Kind bemerken, weint die *Libelle* über den Verlust des Weibchens, das jetzt tot, mit einer Nadel zerstochen, im Zimmer hängt. Selbst die *Frösche* verlassen den Teich und umzingeln mit den anderen Tieren den Quälgeist – der ängstlich nach seiner *Mutter* schreit – und zählen auf, wie sie von ihm malträtiert wurden. Im allgemeinen Getümmel verletzt sich ein *Eichhörnchen* und sucht blutend die Nähe des Kindes. Spontan verbindet das Kind das Bein mit einem Band.
Damit ist der Bann gebrochen. Die Tiere nehmen das Kind in ihre Mitte, begleiten es ins Haus und rufen mit ihm nach der Mutter.

Sidonie-Gabrielle Colette schrieb die Texte zu dieser „lyrischen Fantasie“ schon 1919.

Maurice Ravel dachte oft daran, fing aber erst ein Dreivierteljahr vor der Uraufführung (21. März 1925) an, die Komposition aufzuschreiben. Anscheinend hat ihm das viel Spaß bereitet, denn er verarbeitete darin die aktuellen Modetänze dieser Zeit sowie Operetten-Elemente, die er wahrscheinlich in „ernsten“ Werken nicht so ohne Weiteres untergebracht hätte.

Das Kind und der Zauberspuk, Originaltitel: L'Enfant et les Sortilèges. Oper mit Musik von Maurice Ravel. Das Libretto schrieb Colette nach ihrer literarischen Vorlage: Divertissement pour ma fille. Die Uraufführung fand 21. März 1925 in der Monte Carlo Opéra statt. Die Spieldauer umfasst circa 65 Minuten. Die Oper spielt in einem Zimmer und Garten eines Landhauses in der Normandie.

Personen: *Kind* (Mezzosopran); *Mutter* (Alt); *Sessel* (Bariton); *Standuhr* (Bariton); *Teekanne* (Tenor); *Chinesische Tasse* (Alt); *Feuer/Prinzessin/Nachtigall* (Sopran); *Hirtin* (Sopran); *Hirte* (Sopran); *Prinzessin* (Sopran); *Kleiner alter Mann/Baumfrosch* (Tenor); *Tiere, Pflanzen, Möbel* (Kinder-/Chor)

Lohengrin – Richard Wagner

Die Oper erzählt von einem Ritter, der auf einem Schwan anreist und die Feinde der Fürstentochter besiegt. Er will sie unter der Bedingung heiraten, dass sie ihn nie nach seinem Namen fragt.

Erster Akt – *Telramund* und *Elsa* streiten vor Gericht; Ankunft des Schwanenritters.

Telramund will sich das Fürstentum Brabant unter den Nagel reißen. Er verwaltet das Land schon für *Elsa* und *Gottfried*, die Kinder des verstorbenen Herzogs. Ursprünglich wollte er deshalb *Elsa* heiraten, hat sich aber strategisch günstiger für *Ortrud,* die Nachfahrin der Friesenfürsten, entschieden. Beim Gerichtsherrn *König Heinrich der Vogler* klagt *Telramund Elsa* an, ihren Bruder ermordet zu haben. *Gottfried* blieb nach einem Waldspaziergang mit seiner Schwester spurlos verschwunden. Das Fürstentum Brabant beansprucht *Telramund* deshalb für sich.

Elsa bestreitet diesen Vorwurf. Auf besagtem Spaziergang sei sie eingeschlafen und hätte von einem Ritter geträumt, der sie beschützt. Als sie aufwachte, sei *Gottfried* verschwunden gewesen. Da Aussage gegen Aussage steht, sollen nach Beschluss des Richters beide Parteien gegeneinander kämpfen. Der Sieger erhält das Reich.

Als sich keiner der Anwesenden freiwillig meldet, um für *Elsa* zu kämpfen, sieht sich *Telramund* schon als Sieger. Die Freude wird getrübt durch die Ankunft des Ritters – es ist der aus Elsas Traum -, der just im letzten Moment auf seinem Schwan anreist.

Er besiegt nach kurzem Kampf *Telramund* und schenkt ihm sogar das Leben – unter der Bedingung, dass der sich aus dem Staub macht. Er verspricht *Elsa*, sie zu heiraten, aber unter einer Bedingung.

Sie darf ihn nie fragen, woher er kommt und welcher Familie er angehört. („Nie sollst du mich befragen …"). Jeder, der sich nur ein Fitzelchen mit der weiblichen Psyche auskennt, weiß, dass diese Auflage unmöglich einzuhalten ist.

Zweiter Akt – *Ortrud* und *Telramund* schmieden Rachepläne; Hochzeit von *Elsa* und *Lohengrin*.

Ortrud päppelt *Telramund* wieder auf, der sich wegen dieser Niederlage verkriecht. Ihretwegen hat er das königliche Gericht angerufen und steht ärmer da als zuvor. Sie beruhigt ihn damit, dass es nicht seine Schuld war. So stark wie *Telramund* war bisher kein anderer Mann. Es kann sich also nur um einen Zaubertrank handeln, der irgendwann verfliegt. Das leuchtet *Telramund* ein. („Du wilde Seherin, wie willst du doch geheimnisvoll den Geist mir neu berücken.") Sie beschließen, *Elsa* dazu zu bringen, den fremden Ritter nach seinem Namen zu fragen.

Das Volk hat *Telramund* schon abgeschrieben und keine Probleme mit einem namenlosen Herrscher: („Doch will der Held nicht Herzog sein genannt; ihr sollt ihn heißen ‚Schützer von Brabant'.")

Ein letztes Mal versuchen *Telramund* und *Ortrud*, die Hochzeit noch zu verhindern. Als der Hochzeitszug die Kirche erreicht, stellt *Ortrud* sich *Elsa* in den Weg. Sie verlangt, als Erste die Kirche zu betreten. Sie steht ihrer Meinung nach höher in der Hierarchie als *Elsa*, die noch nicht einmal den Namen ihres zukünftigen Ehemanns kennt.

Sie verzieht sich dann aber vorsichtshalber, als sie *König Heinrich* mit dem fremden Ritter kommen sieht.

Telramund redet von der anderen Seite auf die verstörte *Elsa* ein, doch unbedingt nach dem Namen des Gatten zu fragen.

Dritter Akt – Hochzeitsmarsch; *Elsas* Versprecher; *Lohengrins* Rückreise; *Gottfrieds* Ankunft

Mit dem Hochzeitsmarsch „Treulich geführt ziehet dahin" gelangt das Paar ins Brautgemach. Da sie endlich unter sich sind, macht *Elsa* ihrem Gatten klar, dass sie immer zu ihm halten wird, auch wenn er aus einem niederen Stand kommen sollte. Falls er aber einen höheren Stand als sie innehat, wird sie ihm bald nicht mehr genügen. Es ist deshalb besser, er sagt ihr gleich seinen Namen – weibliche Logik.

Nach dieser verbotenen Frage setzt eine Kettenreaktion ein, die in einem großen Finale mit *Ortruds* und *Elsas* Tod endet. Vorher tötet der Ritter allerdings *Telramund*, der an der Tür gelauscht hat. Dann schwärmt er *Elsa* vor, wie gut sie es mit ihm getroffen hätte, denn vor ihr steht *Lohengrin*, der Sohn des Gralskönigs Parsifal („In fernem Land, unnahbar euren Schritten liegt eine Burg, die Monsalvat genannt"). Doch da sie ihm nicht vertraut hat, kann er nicht bei ihr bleiben. (Moralischer Zeigefinger in patriarchalischem Zeitalter: So ergeht es Frauen, wenn sie nicht das machen, was Männer ihnen befehlen.) Schon ist auch der Schwan aufgetaucht, der ihn wieder dahin bringt, von wo er hergekommen ist. Als Trost hat er den tot geglaubten *Gottfried* mitgebracht, der als somit einziger diesen Erbschaftsstreit überlebt hat und schon allein deswegen vom Volk verehrt wird. Ortrud und Elsa verfallen – je nach RegisseurIn - in totenähnliche Starre oder verschwinden Richtung Himmel oder Hölle oder …

Lohengrin, Oper mit Musik und Libretto von Richard Wagner nach einer literarischen Vorlage „Parzival" von Wolfram von Eschenbach. Die Uraufführung fand am 28. August 1850 in Weimar im Großherzoglichen Hoftheater statt. Die Spieldauer beträgt circa 4 Stunden. Die Oper spielt in Antwerpen Anfang des 10. Jahrhunderts.

Personen: *Heinrich der Vogler*, deutscher König (Bass); *Lohengrin* (Tenor); *Elsa von Brabant* (Sopran); *Friedrich von Telramund*, brabantischer Graf (Bariton); *Ortrud*, Friedrichs Gemahlin (dramatischer Sopran oder Mezzosopran); Heerrufer des Königs (Bariton); vier brabantische Edle (zwei Tenöre, zwei Bässe); vier Edelknaben (zwei Soprane, zwei Alti); *Herzog Gottfried*, Elsas Bruder (stumme Rolle); Chor

Lucio Silla – Wolfgang Amadeus Mozart

Mozart komponiert diese Oper im Alter von siebzehn Jahren - selbst für ein musikalisches Genie wie ihn eine schwierige Zeit. Kein Wunder also, dass die Schlüsselfiguren in einer teenagerhaften Todessehnsucht schwelgen. Von fünf Hauptdarstellern überlebt nur einer das Finale dieser Oper. Glücklich ist er dabei nicht. Das Libretto stammt von Giovanni de Gamerra, der gern Schauriges und Unheimliches auf die Bühne bringt.

Fünf Hauptpersonen: ***Lucio Silla, Giunia, Lucio Cinna, Celia und Cecilio***

Der Tyrann *Lucio Silla* liebt *Giunia* und beklagt sich bei seiner Schwester *Celia*, dass seine Gefühle von ihr immer noch nicht erwidert werden – nach all dem, was er für sie getan habe. Hat er sie doch als vaterlose Waise – vom Verlobten verlassen – bei sich aufgenommen und ihr sämtliche Vorzüge seiner Gastfreundschaft zukommen lassen. Seinem Ärger macht er in einer Arie Luft.

Giunia will tatsächlich nicht seine Frau werden, denn ganz freiwillig weilt sie nicht bei ihm. Hat er doch ihren Vater er- und den Verlobten *Cecilio* in die Flucht geschlagen. Sie möchte lieber mit diesen beiden zusammen sein, und zwar im Totenreich.

Cecilio sucht und findet seine Verlobte wieder, an der Grabstätte ihres Vaters. Freund *Cinna* findet sich ebenfalls an der Gruft ein. Auch der Vater zeigt sich nachtragend. Selbst aus dem Totenreich pinzt er noch und feuert die Überlebenden an, ihn zu rächen.

Das große Sterben

Gemeinsam beschließen die drei, den Tyrannen *Lucio Silla* eine Lektion zu erteilen. *Cinna* schlägt vor, *Giunia* möge doch *Lucio Silla* heiraten und ihn in der Hochzeitsnacht ermorden. Das geht *Giunia* nun doch zu weit. Lieber vermählt sie sich mit dem Tod.

Da *Cinna* sich nicht einmal auf *Giunia* verlassen kann, muss er den Ehrenmord wohl selbst erledigen. Bei seinem Anschlag kommt aber nicht *Lucio Silla*, sondern er selbst (fast) ums Leben. Es bleibt ihm noch Zeit für eine ausgedehnte Sterbearie, in der er sich als Held feiert.

Celia, die Schwester des Tyrannen, findet ihn – ihre heimliche Liebe – und singt ihm ihr letztes Lied, bevor auch sie stirbt. Hat sie es zu Lebzeiten nicht geschafft, ihm ihre Liebe zu zeigen, so will sie jetzt mit ihm im Tod zusammen sein.

Der verschmähte Liebhaber

Lucio Silla versteht die Welt nicht mehr. Hat er doch einen klaren, sauberen Schnitt gemacht, sämtliche Hindernisse beseitigt. Kann ein Mann einer Frau deutlicher seine Liebe zeigen? Statt ihn zu lieben, honoriert *Giunia* seine Mühe in keiner Weise.

Als er die beiden Verlobten entdeckt, stellt er *Giunia* vor die Alternative, entweder ihn zu heiraten oder zu sterben. *Giunia* weist ihn abermals ab. Das macht ihn so wütend, dass er ihr den Tod wünscht und gleichzeitig die Hinrichtung ihres Verlobten *Cecilio* befiehlt. Beide nehmen freudig mit großen Sterbearien Abschied von der Welt.

Ende mit Schrecken

Am Schluss bleibt *Lucio Silla* zurück als einziger Überlebender zwischen vier Toten – seine geliebte Schwester *Celia* (mit ihrer heimlichen Liebe *Cinna*) und seine unerwiderte Liebe *Giunia* (mit ihren Verlobten *Cecilio*). Gestorben sind alle aus Liebe, wenn auch nicht aus gegenseitiger Liebe.

„Lucio Silla" - Wolfgang Amadeus Mozart schrieb die Musik, Giovanni de Gamerra das Libretto zu diesem Dramma per musica in drei Akten. Die Geschichte spielt im antiken Rom. Die Uraufführung der Oper fand am 26. Dezember 1772 in Mailand statt. Die Spieldauer beträgt circa 3 Stunden.

Personen: *Lucio Silla* (Lucius Cornelius Sulla) (Tenor); *Cecilio*, römischer Senator (Sopran); *Giunia*, Cecilios Braut (Sopran); *Lucio Cinna*, Freund Cecilios (Sopran); *Celia*, Schwester Sillas (Sopran); *Aufidio*, Vertrauter Sillas (Tenor); Chor

Orchesterbesetzung: 2 Flöten, 2 Oboen, 2 Fagotte, 2 Hörner, 2 Trompeten, 2 Pauken, Streicher; Generalbass (für die Rezitative)

Luisa Miller – Giuseppe Verdi

Dieses musikalische Drama erzählt die tragische Geschichte zweier Liebenden, die sich am Schluss gegenseitig vergiften. Verdi komponierte die effektvolle Musik nach der Vorlage „Kabale und Liebe“ von Friedrich von Schiller.

Erster Akt: Liebe

Luisa Miller ist verliebt, und zwar in den Jäger *Carlo*. *Luisas* Vater hat deswegen ein ungutes Gefühl. Doch obwohl er für seine Tochter nur das Beste will, hält er sich mit Kritik zurück.

Wurm, der im Dreck wühlende Handlanger des *Grafen*, hat sich *Luisa* zur Frau auserkoren. Bei *Vater Miller* hält er wiederholt um ihre Hand an. *Luisa* aber mag ihn nicht, ebenso wie ihr Vater. Entsetzt lehnt er deshalb *Wurms* Vorschlag ab, seine Tochter zur Heirat zu zwingen. Daraufhin enthüllt *Wurm*, dass der angebliche Jäger *Carlo* in Wahrheit *Rodolfo* ist, der Sohn des *Grafen Walter*.

Wurm berichtet seinem Herrn, dem *Grafen Walter*, das Liebes-Verhältnis von *Rodolfo* zu *Luisa*. *Wurm* und *Graf Walter* hängen zusammen, seit sie der Erbfolge mit Gewalt nachgeholfen haben. *Walters* Cousin überlebte eine gemeinsame Jagd nicht mehr. Dass sein aus der Art geschlagener Sohn *Rodolfo* jetzt ein Bauernmädchen heiraten will, passt *Graf Walter* nicht ins Konzept. Als Ehefrau hat er für ihn die verwitwete *Herzogin Federica* ausgesucht, die ihm Geld in die klamme Kasse bringen soll.

Nach *Walters* Einladung trifft die *Herzogin* mit großem Gefolge ein. Sie ist entzückt, denn sie kennt *Rodolfo* noch aus Kinderzeiten und war damals schon in ihn verliebt.

Der naive *Rodolfo* weiß entweder wenig von Frauen, oder der Umgang mit der aufrichtigen *Luise* hat ihm den Verstand umnebelt. Statt um *Fredericas* Hand anzuhalten, gesteht er ihr, dass er eine andere liebt und sie deshalb nicht heiraten wird.

Falls er wirklich mit Verständnis gerechnet haben sollte, wird er enttäuscht. Die eigens zum Hochzeitsantrag angereiste *Herzogin Federica* entwickelt sich zu einer Furie, die ihm alles Schlechte wünscht und beleidigt abzieht.

Inzwischen enthüllt *Vater Miller* seiner Tochter *Rodolfos* wahre Identität. Der kommt hinzu und schwört, es ehrlich zu meinen. Ihm auf dem Fuße folgt *Graf Walter*, der *Luisa* als Dirne beschimpft und damit deren *Vater* provoziert, der sich an *Graf Walter* vergreift. Kurzerhand werden *Vater* und *Tochter Miller* von *Walters* Leibwachen gefangen genommen. *Luisa* wird aber freigelassen, als *Rodolfo* dem *Vater* droht, den Mord an seinem Cousin publik zu machen.

Zweiter Akt: Intrige

Wurm sucht *Luisa* auf und macht ihr klar, dass sie ihren *Vater* nur retten kann, wenn sie auf *Rodolfo* verzichtet. Er diktiert ihr einen Brief, in dem sie ihre Liebe zu *Rodolfo* abstreitet und erklärt, nur *Wurm* zu lieben. Außerdem muss sie beim Leben ihres *Vaters* schwören, dass sie den Brief freiwillig geschrieben hat.

Wurm und *Walter* amüsieren sich köstlich über die einfältige *Luise*, die alles glaubt, was man ihr erzählt. Schnell wird noch ein Bote gefunden, der diesen Brief *Rodolfo* bringt.

Rodolfo ist so enttäuscht von seiner *Luisa*, dass er auf Anraten seines Vaters *Federica* doch noch einen verspäteten Heiratsantrag macht.

Dritter Akt: Gift

Luisa möchte alles richtigstellen. Sie schreibt *Rodolfo* einen Abschiedsbrief. Danach will sie sich das Leben nehmen, wird aber von ihrem *Vater* daran gehindert.

Vor seiner Hochzeit kommt *Rodolfo* noch einmal zu *Luisa*, im Gepäck eine Flasche mit Gift. Bei ihrer Aussprache, die fast nur aus *Rodolfos* Vorwürfen besteht, gießt er Gift in die Becher. Beide trinken. Nachdem *Luisa* ihm die Wahrheit berichten konnte, ist es für beide schon zu spät.

Als *Walter* und *Wurm* ihn zur Trauung abholen wollen, schafft er es gerade noch, *Wurm* zu erstechen und seinen Vater zu verfluchen.

Luisa Miller, eine Oper mit der Musik von Giuseppe Verdi.

Das Libretto in italienischer Sprache stammt von Salvatore Cammarano. Als literarische Vorlage diente ihm das Drama „Kabale und Liebe“ von Friedrich Schiller. Die Uraufführung fand am 8. Dezember 1849 im Teatro San Carlo in Neapel statt, mit einer Spieldauer von circa 2 Stunden 15 Minuten. Die Handlung spielt in Tirol in der ersten Hälfte des 18. Jahrhunderts.

Personen: *Il Conte di Walter* (Bass); *Rodolfo*, sein Sohn (Tenor); *Federica di Ostheim*, Walters Nichte (Alt); *Wurm*, Walters Castellan (Bass); *Miller*, ein Soldat im Ruhestand (Bariton); *Luisa*, seine Tochter (Sopran); *Laura*, ein Bauernmädchen (Mezzo); Bauer (Tenor);
Dorfbewohner, Hofdamen, Pagen, Bedienstete, Leibwachen (Chor)

Madama Butterfly – Giacomo Puccini

Die dramatische Oper handelt von der Liebe der Geisha Cio-Cio-San (Butterfly), die auf ein besseres Leben hofft, zu dem amerikanischen Marineleutnant Pinkerton, der eigentlich nur sein Vergnügen sucht.

Erster Akt – *Goro* und *Pinkerton* besichtigen das Haus; *Sharpless* warnt vor den Folgen.

Goro, der Kupplerkönig, zeigt dem amerikanischen *Marineleutnant Pinkerton* das Haus, in dem er mit seiner japanischen Frau nach der Trauung leben wird. Mit unterwürfigen Bücklingen führt er vor, wie die Wände sich zu unterschiedlichen Wohnräumen verschieben lassen. Er stellt *Pinkerton* die *Zofe Suzuki* und andere Bedienstete vor. Nach und nach kommen Standesbeamte und der amerikanische *Konsul Sharpless* dazu.

Beeindruckt erzählt ihm *Pinkerton*, dass er das Haus samt Ehefrau für 999 Jahre gemietet hat, mit Kündigungsfrist von nur einem Monat. Hier in Japan sei alles so flexibel wie die Wände des Hauses. Auch die Ehe mit einer Japanerin. Passend für einen Yankee, der überall auf der Welt heimisch ist. Ernsthaft binden will er sich natürlich nur mit einer Amerikanerin, aber bis dahin kann er sich mit der schönen Japanerin *Cio-Cio-San* vergnügen, die so zart ist wie ein Schmetterling.

Sharpless hat die junge Frau ebenfalls gesehen. Eindringlich bittet er *Pinkerton*, diesem zarten Wesen nicht die Flügel zu brechen.

Da naht auch schon die Hochzeitsgesellschaft, im Mietpreis inbegriffen.

Butterflys Freundinnen streuen Blumen, die Verwandten zanken sich. *Butterfly* zeigt sich ihrem künftigen Ehemann gegenüber respektvoll höflich.

Sharpless fragt sie nach ihren Familienverhältnissen. Es stellt sich heraus, dass sie aus einem ehemals reichen Hause stammt. Die Mutter lebt noch, der Vater ist tot. Währenddessen amüsiert sich *Pinkerton* über seine angemietete neue Verwandtschaft.

***Butterfly* sortiert ihre Habe; die Hochzeit wird besiegelt.**

Alles, was ihr wichtig ist, holt *Butterfly* aus ihrem Kimonoärmel. So auch das „Geschenk" an ihren Vater, mit der Anweisung, sich selbst aus der Welt zu schaffen – ein Harakiri-Dolch.

Sie holt Figuren hervor, die Seelen ihrer Ahnen. Dabei erzählt sie *Pinkerton*, dass sie ihren alten Glauben aufgegeben hat und zu seinem Glauben übergetreten ist, wie es sich für eine Ehefrau gehört.

Die Hochzeit wird durch den japanischen Standesbeamten bestätigt, mit Urkunde und Siegel.

Der *Oheim* verflucht *Butterfly*.

Noch eine Weile feiert die Verwandtschaft fröhlich weiter, bis der unheilvolle Bass des *Oheims* erklingt. Er hat herausgefunden, dass *Butterfly* ihren alten Glauben gegen den christlichen ausgetauscht hat. Er verflucht sie und gleich die ganze Hochzeitsgesellschaft mit. Daraufhin will keiner noch etwas mit *Butterfly* zu tun haben. Damit hat sie die Brücken für den Rückweg abgebrochen - sie steht allein ohne den Rückhalt ihrer Familie da.

Jetzt sind *Pinkerton* und *Butterfly* allein. Er beteuert ihr sein Verliebtsein, bewundert ihre Zartheit, möchte endlich kosen. Sie schwört ihm, ewig seine treue und gehorsame Ehefrau zu sein.

Sie reden aneinander vorbei, jede/r nach den Erwartungen und Zielen. *Pinkerton* will körperliche Liebe zum Zeitvertreib, *Butterfly* Treue und Sicherheit.

Zweiter Akt - *Butterfly* wartet drei Jahre.

Drei Jahre sind vergangen. *Pinkerton* ist schon kurz nach der Hochzeit zurück nach Amerika gereist. *Butterfly* und *Suzuki* geht das Geld aus. *Suzuki* glaubt nicht, dass *Pinkerton* wiederkommt. *Butterfly* zählt auf, welche Beweise dafür sprechen: Der Konsul bezahlt die Miete. Beim Abschied hat ihr Ehemann versprochen, dass er wiederkommt, wenn die jungen Rotkehlchen im Nest zwitschern. Anscheinend dauert die Vogelbrut in Amerika länger als in Japan. *Butterfly* malt sich aus, wie es sein wird, wenn das amerikanische Schiff im Hafen einläuft und ihr Gemahl zu ihr kommt.

***Butterfly* hört und sieht nur, was sie hören und sehen möchte.**

Konsul Sharpless erscheint, um ihr etwas Wichtiges zu sagen. Er kommt aber nicht dazu, weil *Butterfly* ihn immer wieder mit Belanglosigkeiten unterbricht. Schon wieder ist der schmierige *Goro* zur Stelle, im Schlepptau den reichen *Yamadori*, der sich unbedingt mit ihr vermählen möchte. Er hat sich gerade scheiden lassen und wandelt wieder auf Freiersfüßen. *Butterfly* lehnt entschieden ab, denn sie ist eine verheiratete Frau.

Außerdem gelten für sie als Amerikanerin, die sie kraft Ehe ist, nicht mehr die japanischen Gesetze, bei denen eine Scheidung nach einem Monat möglich ist.

Sharpless versucht sie zu überzeugen, dass eine Ehe mit dem reichen *Yamadori* das Beste für sie ist. Alle wissen es: *Goro, Sharpless, Suzuki, Yamamori* und die Zuschauer. Nur *Butterfly* klammert sich an den Strohhalm und verbeißt sich darin, dass für sie bald ein neues Leben als *Pinkertons* Ehefrau beginnt.

***Butterfly* und ihr Sohn**

Von *Suzuki* lässt sie ihren kleinen Sohn hereinbringen, von dem *Pinkerton* noch nichts weiß. Für ihn malt sie sich ein Leben in Amerika in den buntesten Farben aus.

Tatsächlich läuft *Pinkertons* Schiff im Hafen ein, was *Butterfly* und *Suzuki* mit dem Fernglas beobachten. Aufgeregt treffen sie sofort alle Vorbereitungen für seinen Besuch.

Dritter Akt – *Pinkertons* Schiff legt im Hafen an

Suzuki schickt die vom Warten übermüdete *Butterfly* im Morgengrauen ins Bett und hält allein Wache. Auf Zehenspitzen kommen *Sharpless* und *Pinkerton* herein und bedeuten *Suzuki*, leise zu sein. Inzwischen hat *Pinkerton* erfahren, dass er Vater ist. Sie wollen die Zukunft des Kindes sichern und brauchen *Suzuki* als Verbündete. Der tapfere Krieger *Pinkerton* ist zu feige, um selbst mit seiner ehemaligen Ehefrau zu sprechen. Dafür hat er seine jetzige amerikanische Ehefrau mitgebracht, die im Garten wartet. Sie hat sich bereit erklärt, für das Kind zu sorgen.

Suzuki als Überbringerin der Hiobsbotschaft.

Das alles soll *Suzuki* jetzt *Butterfly* erklären. *Sharpless* ist genervt. Er hat *Pinkerton* gleich zu Anfang gesagt, dass er diesen zarten Schmetterling nicht zerbrechen soll. Der wiederum war der Meinung, dass *Butterfly* – genau wie er – über die Scheinehe Bescheid wusste und ihn schon längst wieder vergessen hat. Dass sie jeden Tag auf ihn gewartet hat, wird ihm jetzt erst bewusst. Und schon wieder kneift der tapfere Krieger und verlässt fluchtartig das Haus.

Butterfly stellt sich der Wirklichkeit.

Butterfly kommt herein, sieht die fremde Frau und erkennt schlagartig die Wahrheit. *Sharpless* und *Suzuki* versuchen noch, es ihr zu erklären. *Butterfly* spricht endlich aus, was sie schon lange befürchtet hat und genau der Realität entspricht. Sie wird Pinkerton ihren Sohn geben - nur ihm allein, nicht der fremden Frau. Aber *Pinkerton* soll seinen Sohn selbst abholen.

Butterflys Ende

Sie schickt alle weg, verabschiedet sich von ihrem kleinen Sohn und wünscht ihm alles Gute in dem fernen Land. Möge es ihm gut gehen und er seine Mutter in liebevollem Andenken bewahren. Wieder allein im Zimmer, holt sie das „Geschenk“ ihres Vaters heraus. Sie verschwindet hinter einem Paravent, der kurz danach umfällt und sie unter sich begräbt.

Draußen ruft *Pinkerton*: „*Butterfly! Butterfly! Butterfly*!“

Je nach RegisseurIn und Inszenierung brauchen die Zuschauerinnen entweder ein Taschentuch oder sie verlassen die Oper mit der Faust in der Tasche.

Madama Butterfly – Oper mit Musik von Giacomo Puccini

Libretto von Giuseppe Giacosa und Luigi Illica nach einem Theaterstück von David Belasco.

Nach dem großen Erfolg von „“ und dem riesigen Erfolg von „Tosca“ suchte Puccini lange nach einem frischen, dramatischen Stoff für eine neue Oper.

In einem Theaterstück in englischer Sprache, **„Madame Butterfly“** von David Belasco, fand er endlich das Gesuchte. Er ließ sich das Libretto von Giuseppe Giacosa und Luigi Illica erstellen.

Viele Recherchen folgten über japanische Kultur, Musik, Lebensart. Bei den Proben in der Mailänder Scala war er selbst zugegen. Darsteller, Musiker und Komponist waren einhellig der Meinung, dass es ein noch größerer Erfolg wird als „Tosca“.
Die Uraufführung am 17. Februar 1904 geriet zum größten Skandal der Mailänder Operngeschichte. Tumulte unter den Zuschauern und Totalverrisse in den Zeitungen. Puccini reagierte nach diesem Bauchklatscher tief gekränkt, schrieb die Oper aber dann in einem Anfall von Trotzreaktion geringfügig um und ließ sie drei Monate später im Teatro Grande Brescia aufführen. Der Erfolg stellte sich genauso ein, wie er ihn sich erhofft hatte. „Madama Butterfly“ gehört auch heute noch zu den meist gespielten Opern.

Personen:

Cio-Cio-San, genannt „Butterfly“ (Sopran); *Suzuki*, Butterflys Dienerin (Mezzosopran); *Kate Pinkerton* (Mezzosopran); *Benjamin Franklin Pinkerton*, amerikanischer Marineleutnant (Tenor); *Sharpless*, amerikanischer Konsul in Nagasaki (Bariton); *Goro*, Nakodo Heiratsvermittler (Tenor); *Fürst Yamadori* (Tenor); *Onkel Bonze* (Bass); *Onkel Yakusidé* (Bass); kaiserlicher Kommissar (Bass);
Standesbeamter (Bass); Cio-Cio-Sans Mutter (Mezzosopran); ihre Tante (Sopran); ihre Cousine (Sopran); ein Kind (Knabensopran, nur in der Urfassung);

Dolore (Kind), ein Koch, ein Diener, zwei Laternenträger, zwei Bonzen (stumme Rollen); Verwandte, Freunde und Freundinnen Cio-Cio-Sans, Diener, Matrosen (Chor, Statisten)

Spieldauer: ca. 2 Stunden 30 Minuten
Ort und Zeit der Handlung: Ein Hügel oberhalb von Nagasaki, um 1900

Nabucco – Giuseppe Verdi

Mit dieser Oper – einer Geschichte aus dem Alten Testament – schaffte es Giuseppe Verdi, unterschiedlichste Gesellschaftsschichten anzusprechen.

Freiheitswille und Sieg eines unterdrückten Volkes, wie sich Italien damals gern sah, manifestiert sich in dem „Gefangenenchor“; fast eine italienische Nationalhymne. Soldaten und Krieger in schmucken Uniformen bieten genügend Stoff für Freunde opulenter Kostümopern. Der Sieg der Hebräer – mit göttlicher Hilfe – über die falschgläubigen Babylonier sowie eine Missionierung zum wahren Glauben freut die Kirchgänger. Für Romantiker wird alles verbunden mit einer Liebesgeschichte, inklusive Happy-end. Im Mittelpunkt steht die Treue eines Mannes, gefolgt vom Opferwillen der Geliebten. Zum Wohlgefallen der Gerechten folgt die Strafe auf dem Fuße, sowohl für größenwahnsinnige Despoten als auch für die Möchtegernkönigin.

Erster Teil – Liebe zwischen allen Fronten

Im Tempel drängeln sich Hebräer und Leviten, während draußen König *Nabucco* ihre Stadt einnimmt. Der Hohepriester *Zaccaria* stärkt die Kampfmoral der schwer gebeutelten Truppe. Hält er doch *Nabuccos* Tochter *Fenena* als Geisel in seiner Gewalt. Daraufhin stürzen sie sich wieder ins Kampfgetümmel. *Zaccaria* bestimmt *Ismaele* als *Fenenas* Wächter – ausgerechnet. Zwischen beiden hat es schon gefunkt, als *Ismaele* von den Babyloniern als Spion in den Kerker geworfen wurde.

Fenena verliebte sich in ihn und hat ihn heimlich befreit. Ihr Mut und seine Verliebtheit stacheln *Ismaele* an, mit ihr das Weite zu suchen, was auch fast gelingt.

Abigaille, *Fenenas* gleichermaßen frustrierte wie raffinierte ältere Schwester, versperrt ihnen den Weg. Mit ihrem Heer von verkleideten Hebräern drang sie unbehelligt bis in den Tempel vor. Sie erkennt sofort die Lage. Ihrem heimlichen Schwarm *Ismaele* verspricht sie die Freiheit seines Volkes, sofern er ihre Liebe erwidern würde. Nach einem kurzen Blick von *Abigaille* zu *Fenena* lehnt *Ismaele Abigailles* Angebot dankend ab. Wegen dieser Verzögerung spitzen sich die Ereignisse zu. *Nabucco* erreicht den Tempel. *Zaccaria* schnappt sich geistesgegenwärtig *Fenena*, bevor *Ismaele* sie ihm reflexartig entreißt und *Nabucco* übergibt. *Nabucco* dankt ihm das in keinster Weise. Stattdessen legt er das Schicksal Jerusalems in die Hände seiner marodierenden Soldaten.

Zweiter Teil – Macht und Ohnmacht werden neu sortiert.

Nabucco hat neben seiner blaublütigen Tochter *Fenena* noch eine ältere Tochter, *Abigaille*, ein Kind von einer Sklavin. Obwohl er *Fenena* als Thronfolgerin vorgesehen hat, fährt er vorsichtshalber zweigleisig. *Abigaille* wird in dem Glauben erzogen, die Erstgeborene und damit seine Nachfolgerin zu sein. Jedoch dokumentiert er *Abigailles* wahre Abstammung. Dieses Dokument findet *Abigaille*. Jetzt wird ihr klar, warum *Nabucco* nicht sie, sondern *Fenena* als seine Stellvertreterin einsetzt. *Abigailles* Wille zur Macht offenbart sich in einem schnellen Entschluss. Sie plant, *Fenena* zu töten und sich selbst zu inthronisieren.

Die Reaktion der Hebräer auf *Nabuccos* Mord-und-Plündern-Befehl fallen – je nach Regisseur – für *Ismaele* mehr oder weniger unfreundlich aus. Aus Liebe zu ihm springt die gegnerische Königstochter *Fenena* über ihren eigenen Schatten und nimmt den Glauben der Hebräer an. Dieser Liebesbeweis begeistert die Hebräer, im Gegensatz zu den Babyloniern.

Deshalb zeigt sich der *Hohepriester des Baal Abigaille* gegenüber kooperationsbereit. Er erklärt *Nabucco* für tot. Als *Fenena* im Palast auftaucht, reißt ihr *Abigaille* die Krone vom Kopf und hätte sich fast selbst gekrönt, wenn nicht *Nabucco* in die Szene hineingeplatzt wäre. Beflügelt durch siegreiche Schlachten will er nicht nur als König, sondern auch als Gott verehrt werden. Sein übersteigertes Selbstbewusstsein bekommt aus heiterem Himmel einen Dämpfer. Er wird vom Blitz getroffen und leidet fortan an geistiger Umnachtung. In all dem Durcheinander behält einzig *Abigaille* einen klaren Kopf. Sie hebt die Krone auf und inthronisiert sich selbst – also genau das, was sie von Anfang an vorhatte und was immer durch kleinere Zwischenfälle verhindert wurde.

Dritter Teil – … endlich erklingt der Gefangenenchor.

Flankiert vom *Hohepriester des Baal* sitzt *Abigaille* auf dem Thron, als *Nabucco* erscheint. Nach dem Blitzschlag ist sein Kopf noch frei von klaren Gedanken. Diesen Zustand nutzt *Abigaille* eiskalt aus. Sie reicht ihm ein Dokument zum Besiegeln. Zu spät erkennt er, dass er damit das Todesurteil für die Hebräer, einschließlich der konvertierten *Fenena*, unterzeichnet hat. Als ihm dieser Patzer – bedingt durch seine gedankliche Schwerfälligkeit – zu spät bewusst wird, droht er *Abigaille*, ihre wahre Herkunft publik zu machen. Die zerreißt fix ihre Geburtsurkunde und lässt *Nabucco* einsperren. Seine Bitte um Gnade für *Fenena* überhört sie.

Inzwischen beklagen die gefangenen Hebräer ihr Leid im berühmtesten aller Gefangenenchöre: „Va, pensiero“ – „schönes und verlorenes Heimatland“. Nicht einmal *Zaccaria* kann sie mit der Prophezeiung aufmuntern, dass Babylon in Schutt und Asche versinken wird.

Vierter Teil – das zerbrochene Götzenbild

Nabuccos Gedankenchaos ordnet sich allmählich. Als vor seinem Fenster *Fenena* zum Richtplatz geführt wird, reagiert er gedankenschnell. Er beschwört den Gott der Hebräer als Alleinherrscher und sich als seinen Untertan. Und siehe da – die Tür geht auf, und herein kommen seine Getreuen, um ihn zu befreien. Zusammen verhindern sie in letzter Minute *Fenenas* Hinrichtung.

Die Götzenbilder der Babylonier stürzen ein, *Abigaille* stirbt mit einer Bitte um Verzeihung, die Hebräer sind frei, *Ismaele* und *Fenena* werden ein Paar, *Nabucco* bleibt König. Die alte Ordnung wurde nicht nur wiederhergestellt, sondern sogar verbessert. Denn jetzt ist auch die Nachfolge geklärt.

Nabucco, Oper in italienischer Sprache mit Musik von Giuseppe Verdi. Das Libretto schrieb Temistocle Solera. Die Oper wurde am 9. März 1842 in Mailand, Teatro alla Scala, uraufgeführt. Die Spieldauer beträgt circa 135 Minuten. Die Handlung spielt in Jerusalem und Babylon um 586 vor Christus.

Personen: *Nabucco* (Bariton); *Abigaille* (Sopran); *Fenena* (Mezzosopran); *Ismaele* (Tenor); *Zaccaria* (Bass); *Anna* (Sopran); *Abdallo* (Tenor); *Hohepriester des Baal* (Bass); Soldaten, Volk (Chor)

Norma - Vincenzo Bellini

***Norma*, die gallische Priesterin, liebt heimlich *Pollione*, den Feind ihres Volkes. Er ist der Vater ihrer beiden Kinder, von denen niemand etwas weiß. *Pollione* möchte nach Rom zurückkehren, aber mit einer anderen Frau, nämlich *Normas* Assistentin.**

Erster Akt – *Pollione* bevorzugt *Adalgisa* und verlässt *Norma*.

Die gallischen Kämpfer werden langsam ungeduldig. Liebend gern würden sie in den Krieg ziehen gegen die römische Besatzungsmacht, aber ihre *Priesterin Norma* hat noch keinen Startschuss gegeben. Denn nur *Norma* kennt den richtigen Zeitpunkt zum Sieg. *Norma* denkt aber nicht daran, in den Kampf zu ziehen, denn sonst verlöre sie womöglich *Pollione*, ihren Geliebten, den Befehlshaber der römischen Armee. Dieses Verhältnis muss schon eine Weile bestehen, denn die beiden haben zwei Kinder miteinander, von denen weder *Normas Vater* noch das gallische Volk wissen.

Mittlerweile ist das Verhältnis von *Polliones* Seite aus allerdings etwas abgekühlt. Er wird nach Rom beordert und möchte dahin nicht etwa seine Familie, sondern seine neue Flamme *Adalgisa* mitnehmen. Die weiß noch nichts davon. Als Priesteranwärterin in *Normas* Druiden-Orden geht sie oft zum Mistelschneiden in den Wald, in dem auch *Pollione* spazieren geht.

An seinem letzten Tag vor der Abreise passt er *Adalgisa* ab und versprüht seine Überredungskünste, bis sie endlich zusagt, mit ihm nach Rom zu gehen.

Adalgisa erzählt *Norma* in allen Einzelheiten, dass sie sich in einen Mann verliebt hat, der sie nach Rom mitnehmen will. *Norma* fühlt sich an ihre erste Verliebtheit erinnert und rät *Adalgisa*, mit ihm zu gehen. In dem Moment kommt *Pollione* hinzu, was die Situation sofort verschärft. *Norma* erkennt, dass *Adalgisas* Geliebter ihr *Pollione* ist. *Adalgisa* erkennt, dass sie auf die gleiche Masche wie *Norma* hereingefallen ist. Beide wünschen *Pollione* zum Teufel, was ihn jedoch nicht beeindruckt.

Zweiter Akt – *Norma* sucht nach Lösungen für sich und ihre Kinder.

Norma sieht für sich und besonders für ihre Kinder keine Zukunft, denn als Priesterin hat sie geschlechtslos zu bleiben – und wenn sie mit einem Mann zusammen ist, dann mit einem Gallier. In ihrer Ausweglosigkeit versucht sie, ihre Kinder zu töten – bringt es aber doch nicht übers Herz. Den Königsweg aus dem Dilemma sieht sie in dem Versuch, *Adalgisa* zu überreden, mit *Pollione* nach Rom zu gehen und ihre Kinder mitzunehmen. *Adalgisa* fühlt sich aber derart von *Pollione* gekränkt, dass sie ihn nicht einmal mehr geschenkt habe möchte. Inzwischen wird ein Römer gefangen, der in die Räume der Novizinnen eindrang. Es ist *Pollione*, der sich *Adalgisa* schnappen wollte, da sie nicht freiwillig mitkommt. Die Gallier wollen mit ihm kurzen Prozess machen, aber *Norma* – als Richterin – knöpft ihn sich allein vor. Wenn er von *Adalgisa* lässt, kommt er frei. Lieber stirbt er.

Dann wird *Norma* ihre gemeinsamen Kinder töten. Lieber stirbt er. *Adalgisa* wird auf dem Scheiterhaufen verbrannt. Lieber stirbt er – schon aus Trotz.

Norma schafft es nicht, ihn zu töten. Genau wie sie es nicht geschafft hat, ihre Kinder zu töten.

Jetzt bleibt ihr nicht mehr viel. Sie nimmt *ihrem Vater* das Versprechen ab, für ihre Kinder zu sorgen. Dann stellt sie sich dem gallischen Volk, das wissen möchte, wer die Verräterin ist. Statt *Adalgisa* auf den errichteten Scheiterhaufen zu bringen, gibt sie sich als *Polliones* Geliebte zu erkennen und geht selbst in den Tod. *Pollione* rührt dieser Großmut. Er möchte mit *Norma* ein neues Leben anfangen – zu spät. Das Schicksal nimmt seinen Lauf.

Norma (Oper) mit Musik von Vincenzo Bellini und einem Libretto von Felice Romani.

Die Uraufführung der Oper fand am 26. Dezember 1831 im Teatro alla Scala in Mailand statt. Die Oper in zwei Akten spielt in Gallien, circa 50 Jahre vor Christus. Die Spieldauer beträgt circa 2 Stunden 30 Minuten.

Personen: *Pollione*, der römische Prokonsul in Gallien (Lyrischer Tenor); *Oroveso*, der oberste Druidenpriester (Basso cantate); *Norma*, Orovesos Tochter, die Oberpriesterin (Sopran); *Adalgisa*, Novizin im Tempel der Irminsul(Sopran); *Klothilde*, Normas Freundin (Sopran oder Mezzosopran); *Flavius*, Polliones Freund (Lyrischer Tenor, kl. P.); *Zwei kleine Söhne Severs und Normas* (stumme Rollen)

Orpheus und Eurydike – Christoph Willibald Gluck

Die Oper erzählt von den Gefahren, die Orpheus auf sich nimmt, um seine verstorbene Eurydike ins Leben zurückzuholen. Die aber fühlt sich in der friedlichen Unterwelt zu Hause und möchte nicht zurück.

Erster Akt – *Orpheus* trauert um seine *Euridike*

Orpheus, der beste Sänger der Welt, beweint den Tod seiner *Eurydike*. Zusammen mit dem Chor der Hirten und Hirtinnen fleht er die Götter an, ihm seine eben angetraute Frau zurückzugeben. *Amor*, der Liebesgott, kann das nicht länger mit anhören, interveniert bei Jupiter und überbringt *Orpheus* die Nachricht, dass er seine geliebte *Eurydike* aus dem Totenreich zurückholen darf. Die Sache hat bloß einen Haken: Er darf sich auf dem Rückweg nicht nach ihr umschauen.

Außerdem muss er auf dem Weg in den Hades vorbei an Cerberus und den Furien, den kampflustigen Wächterinnen und Wächtern der Unterwelt.

Zweiter Akt – *Orpheus* in der Unterwelt

Orpheus macht sich wegen der Auflagen keinen Kopf, denn er vertraut auf seine Gesangskünste in Verbindung mit seiner Leier und beschert damit der Operngeschichte einige Glanznummern für Tenöre. (Tausend Qualen, drohende Schatten …)

Aber so richtig berühmt ist der zweite Akt wegen seines Furientanzes. Diese Ballettnummer wurde von Gluck für den Choreografen Angiolini komponiert, und zwar für die Pariser Fassung.

Verwandlung: Endlich im Elysion gelandet, entpuppt sich die Unterwelt als ein ganz anderer Ort, als *Orpheus* und wohl alle Lebenden es sich vorstellen. Hier herrscht Ruhe, Frieden, Freude, Harmonie, in die *Orpheus* durch seine Nervosität Unruhe und Hektik hineinbringt. Als er jedoch zu seiner Leier greift und singt, wird seine Gattin *Eurydike* angelockt. Mit geschlossenen Augen greift er ihre Hand und eilt hinaus, ohne sich umzusehen. Bis dahin läuft alles nach Plan.

Dritter Akt – *Eurydikes* Tod

Leider hat *Orpheus* keine Zeit, seiner Frau die Vorbedingungen ihrer Befreiung zu erläutern. Fast sind *Orpheus* und *Eurydike* oben und sehen schon das Ende des Tunnels, da kommt *Eurydike* in Verkennung der Situation ins Grübeln. Soll sie wirklich mit einem Mann mitlaufen, der sie schnöde geschnappt und seitdem nicht einmal angesehen hat? Eigentlich hat ihr das Elysion weitaus mehr zu bieten als diese eheliche Nichtbeachtung. Als sie ihn vor das Ultimatum stellt – entweder er schaut sie an oder sie geht zurück ins Totenreich – dreht er sich irritiert um. Vielleicht wollte er ihr ja nur den Ernst der Lage erklären. Wie dem auch sei, im selben Augenblick bricht *Eurydike* tot zusammen, was wiederum *Orpheus* zu seinem berühmten Klagelied veranlasst: (Ach, ich habe sie verloren.)

Glücklicherweise wird *Amor* bei seinem Gesang schwach und erweckt *Eurydike* wieder zum Leben.

Somit schließt diese Opernfassung mit einem offenen Ende, das die Regisseure gern unterschiedlich ausgestalten.

Orfeo ed Euridice (französich Orphée et Euridice), deutsch Orpheus und Eurydike, Oper in drei Akten mit Musik von Christoph Willibald Gluck.

Das Libretto schrieb von Ranieri de' Calzabigi. Die Oper spielt im antiken Thrakien. Spieldauer der Wiener Fassung beträgt circa zwei Stunden, die der Pariser Fassung zweieinhalb Stunden. Für die Pariser Version komponierte Christoph Willibald Gluck zusätzlich eine Ballettmusik, ohne die eine Aufführung keinen Erfolg gehabt hätte. Es hätte sich auch kein Theater gefunden, das diese Oper aufgeführt hätte.

Personen: *Orpheus* (Alt/Tenor); *Eurydike* (Sopran); *Amor* (Mezzosopran); Hirten und Hirtinnen, Furien, Selige Geister (Chor)

Parsifal - Richard Wagner

Für das Verständnis dieser Opernhandlung ist die Vorgeschichte wichtig. Sie ist fast so lang wie die Oper selbst und beginnt mit der Gründung des Ordens.

Engel übergaben den beiden Rittern *Titurel* und *Gurnemanz* den Kelch mit dem Blut Christi – den heiligen Gral – und den Speer, mit dem Christus die Wunde geschlagen wurde. Beide gründeten mit diesen Reliquien einen neuen Ritterorden, in dem *Titurel* als König inthronisiert wurde. Der heilige Gral gibt denen Kraft, die ihn während der Zeremonie anschauen. Der Speer macht sie unbesiegbar. Ihre Aufgabe bestand – neben der Sicherung der Reliquien – darin, das Unrecht in der Welt zu bekämpfen. Das ging ja noch. Als schwieriger entpuppte sich in der Praxis das damit verbundene Keuschheitsgelübde. Doch, Überraschung: Obwohl diese Hürde eine sehr hohe war, konnte sich der Orden vor ritterlichen Anmeldungen kaum retten.

Auch *Klingsor* bewarb sich bei dem prestigeträchtigen Club keuscher Ritter, wurde aber wegen seines Lotterlebens abgewiesen. Der Wunsch nach der Zugehörigkeit war größer als seine Natur – kurzerhand entmannte er sich. So jemanden wollte *Titurel* allerdings erst recht nicht in seinem Orden haben.

Für diese doppelte Schmach rächte *Klingsor* sich nachhaltig. Er baute sich eine Burg mit verführerischen Mädchen, deren einzige Aufgabe es war, vorbeikommende Ritter ihr Keuschheitsgebot vergessen zu lassen. Nach kurzer Zeit war der Gralsritterorden ein Orden fast ohne dieselben. Inzwischen hatte *Amfortas* die Gralskrone von seinem greisen Vater übernommen.

Für den Fortbestand des Ordens zog er mit der Wunderwaffe – dem unbesiegbaren Speer – los, um *Klingsor* zu besiegen. Daraufhin setzte *Klingsor* seine Gegenwunderwaffe ein: *Kundry*.

Sie hat einst Jesus am Kreuz verlacht und musste dafür ewig büßen. Sobald *Klingsor* sie weckt, hat sie wieder einen Ritter zu verführen. Somit verlor *Amfortas* seine Keuschheit und seine unbesiegbare heilige Waffe, bekam dafür von *Klingsor* mit dem Speer eine unheilbare Wunde verpasst.

Erster Aufzug – Amfortas im Bade; Parsifal, der „Reine Tor“

Gurnemanz und *Kundry* erwarten *Amfortas*, der von Knappen zum See getragen wird. Ein Bad lindert seine Schmerzen. *Kundry* hat Gewissensbisse, weil sie *Amfortas* zwangsweise verführen musste. Von ihren Wanderungen durch Zeit und Raum bringt sie Wunderkräuter mit, die aber bei *Amfortas* nur für kurze Zeit wirken. Laut einer Prophezeiung hilft ihm nur das Mitleid von einem „Reinen Tor“. Damit meinte Wagner einen jungen Mann, der voll im Saft steht, aber damit nichts anzufangen weiß. Außerdem sollte sein geistiger Horizont überschaubar sein. Die klassischen Sagen, in die er hineinstolpert, kennt er nicht.

Um die Knappen von *Kundry* abzulenken, erzählt ihnen *Gurnemanz* noch einmal die Geschichte des Gralsordens. Kaum ist er damit fertig, stürzt ein toter Schwan vom Himmel. Der Todesschütze, der sich dorthin verirrt hat, weiß weder seinen Namen noch seine Herkunft. *Kundry* allerdings kennt beides – *Parsifal* heißt der elternlose Sohn eines Ritters. *Gurnemanz* meint, in ihm den angekündigten „Reinen Toren“ zu erkennen. Nach der Zeremonie, in der der heilige Gral enthüllt wird, erwartet er von *Parsifal* einen Ausdruck des Erkennens, den dieser aufgrund mangelnder Lebenserfahrung nicht erbringen kann. In seiner Enttäuschung verjagt ihn *Gurnemanz* aus dem Gralsgebiet.

Dauer des 1. Aktes: 1 Stunde und 45 Minuten

Zweiter Aufzug – *Klingsors* Zaubergarten; *Blumenmädchen*; *Klingsors* Desaster

Klingsor wartet wie eine Spinne im Netz auf das nächste Opfer. Lange schon sieht er *Parsifal* herannahen und trifft seine Vorbereitungen. *Parsifal* ist ihm sehr wichtig. Deshalb lässt *Klingsor* noch zusätzlich seinen Zaubergarten bestellen, mit bezaubernden *Blumenmädchen* darin, die *Parsifal* umgarnen. (Tanz und Gesang der Blumenmädchen gehören zu den Höhepunkten dieses Aktes).

So ganz fruchtet diese Charmeoffensive nicht bei *Parsifal*, denn dazu ist er wohl noch zu naiv. Jetzt startet *Klingsors* Wunderwaffe, die bis jetzt alle rumgekriegt hat – die betörend schöne *Kundry*. Er weckt *Kundry* aus ihrem todesähnlichen Schlaf, damit sie *Parsifal* umgarnt und seinem Reich einverleibt. Sie spricht *Parsifal* mit seinem Namen an und erzählt ihm die Geschichte seiner Herkunft. *Parsifal* wurde als Sohn eines verstorbenen Ritters von seiner Mutter im Verborgenen aufgezogen, damit er am Leben blieb. *Parsifal* lief weg, und die Mutter starb. Nach dieser Aufklärung gibt *Kundry* ihm einen Kuss, der bei Parsifal eine andere Reaktion auslöst als die erwartete. Ihm wird plötzlich die Gralsenthüllung bewusst. Er erkennt die Zusammenhänge und rekapituliert – für sich selbst – die Leiden des *Amfortas*.

Plötzlich erkennt er, dass er als Retter des Ritterordens ausersehen ist. *Kundry* macht ihm klar, dass sie auch zu den Opfern gehört und einen Anspruch auf Erlösung hat.

Parsifal möchte sich erst als Retter des Ritterordens hervortun und stellt *Kundrys* Befreiung erst einmal zurück.

Das veranlasst *Kundry* zu einem derartigen Lach- und Schreikrampf, dass *Klingsor* herbeigelockt wird. Er erkennt sofort die für ihn brenzlige Lage und schleudert den heiligen Speer, der über *Parsifals* Kopf stehen bleibt. Geistesgegenwärtig packt *Parsifal* die Waffe, schlägt damit ein Kreuz und löst hierbei den Zauber. *Klingsors* Reich verschwindet – je nach Regisseur, Fantasie und Bühnentechnik – angefangen von Nebel, Explosion der Kulissen bis hin zum Versenken.

„Du weißt, wo du mich wiederfinden kannst“, ruft er *Kundry* zu, bevor er sich zur Gralsburg aufmacht.

Dauer des 2. Aktes: 1 Stunde und 10 Minuten

Dritter Aufzug – Karfreitagszauber und *Parsifals* Inthronisierung

Am Karfreitagsmorgen trifft *Parsifal* im Gralsgebiet auf *Kundry* und *Gurnemanz*, der ihm die ganze Katastrophe um den Ritterorden erzählt. *Titurel* ist gerade vor Schwäche gestorben, denn *Amfortas* geht es so schlecht, dass er den lebensspendenden Gral nicht mehr enthüllt. *Parsifal* gibt sich die Schuld an dem Desaster. *Gurnemanz* und *Kundry* trösten ihn. Sie waschen ihm die Füße und erheben ihn zum König.

Als *Parsifal Kundry* tauft, verfallen alle drei in eine erlösende Stimmung, die Richard Wagner unter dem Namen „Karfreitagszauber" mit Musik zum Ausdruck bringt.

Amfortas wollte zwar noch einmal den Heiligen Gral enthüllen, fühlt sich dazu aber zu schwach. Da ergreift *Parsifal* die Initiative, heilt *Amfortas* mit dem eroberten Speer und inthronisiert sich als neuen Gralskönig. *Kundry* stirbt.

Dauer des 3. Aktes: 1 Stunde und 15 Minuten

Parsifal, Oper mit Musik und Libretto von Richard Wagner

Die Handlung geht zurück auf das Versepos von Wolfram von Eschenbach. Wagner nannte es sein Bühnenweihfestspiel. Die Uraufführung fand am 26. Juli 1882 im Festspielhaus in Bayreuth statt. Nach Wagners Willen sollte es auch fortan ausschließlich im Bayreuther Festspielhaus aufgeführt werden. Die reine Spieldauer der Oper beträgt über vier Stunden. In Bayreuth wird zwischen den einzelnen Akten jeweils eine Stunde Pause eingelegt. Die Oper beginnt um 16 Uhr und endet um 22.10 Uhr.

Personen: *Amfortas*, Gralskönig (Bariton); *Titurel*, Amfortas' Vater (Bass); *Gurnemanz*, Gralsritter (Bass); *Parsifal* (Tenor); *Klingsor* (Bass); *Kundry* (Sopran oder Mezzosopran); *zwei Gralsritter* (Tenor und Bass); *vier Knappen* (Sopran und Tenor); *Klingsors Zaubermädchen*
(sechs Einzelsängerinnen, Sopran und Alt); Stimme aus der Höhe (Alt); Chor

Pnima – Chaya Czernowin

Kammeroper ohne Text, ohne Libretto, in der Stuttgarter Staatsoper. Diese Musik in Bilder umzusetzen ist ein Kunststück der Regisseurin Yona Kim.

Zurück ans Licht – was ist hängengeblieben von dieser Geräuschmusik?

Wer die Musik von Chaya Czernowin schon im Kammerkonzert gehört hat, wird sie sofort wiedererkennen. Viele Töne, Klänge, Geräusche, die mit den Musikinstrumenten erzeugt werden. Arien oder Musik im üblichen Sinne sind nur mit sehr viel Fantasie herauszuhören. In dieser Oper wird nur auf Vokale gesungen. Diese Vokalisen stellen Lieder dar, die Emotionen ausdrücken, wenn auch ohne Worte.

Der Regisseurin Yona Kim ist das Kunststück gelungen, die Bewegungen der Sänger und Darsteller exakt mit der Musik zu verbinden. Sie ist somit eher einer Choreographin vergleichbar. Yona Kim – und natürlich den Sängern/Darstellern, allen voran Yuko Kakuta – ist diese stimmige und unbedingt sehenswerte Inszenierung zu verdanken. Sie verlegt die Handlung in eine geschlossene Abteilung einer psychiatrischen Anstalt. „Aus einem Irrenhaus" wäre wohl der treffendere Titel.

Ein kleiner Junge lebt in einem Raum zusammen mit acht Erwachsenen, die alle einen psychischen Knacks haben. Sie sitzen um den Tisch herum, essen; Tischmanieren sind out.

Das Orchester spielt die Ess- und Schmatzgeräusche, ebenso das Zureichen der Speisen.

Der Junge reißt sich von dieser stumpfsinnigen Tischgruppe los und spielt für sich allein. Yuko Kakuta, die großartige Sängerin/Darstellerin, trifft genau den Charakter des Kindes.

Ein Mann in gestreifter Sträflingskleidung (Daniel Gloger, überzeugend von Stimme und Darstellung) sitzt vollkommen apathisch daneben, ohne zu essen. Irgendwann steht er auf und schaut durch ein kleines vergittertes Fenster, das aussieht wie die Luke in einer Gefängnistür oder in einem Irrenhaus. Letzteres trifft wohl eher auf die Personen zu. Sie stehen auf, reißen im Rhythmus Klebebänder ab, verkleben das Mobiliar mit dem senkrecht aufgestellten Fußboden. Nach einer Weile treffen sie wieder am Tisch zusammen, um Karten zu spielen. Die immer heftiger werdenden Geräusche liefert das Orchester.

Der Junge versucht, ein Eigenleben zu führen. Doch dann nimmt er sich immer wieder der Personen an, die nach seiner Aktivität in Starre verfallen. Gesungen werden Urlaute, die das Kind und die Erwachsenen verbinden.

Ein Sturm, ausgelöst von Kindern in Nazi-Uniformen, fegt über die Gesellschaft hinweg. Mit der einkehrenden Ruhe stehen über hundert winkende Kinder auf der Empore und zeigen eine neue Zeit an. Hundert Kinder symbolisieren einen Neuanfang und einen Blick in die Zukunft.

Als alles vorbei ist, kommen die Bewohner zusammen, versuchen, ihre zerstörten Musikinstrumente mit Klebeband zu reparieren. Auch der kleine Junge zeigt jetzt Ticks. Alle leiden unter Schüttelkrämpfen und Zittern, von der Musik kommentiert.

Fazit: Einfach irre – das muss man gesehen haben.

Pnima von Chaya Czernowin

Kammeroper ohne Worte, ohne Text, ohne Libretto: Dem Stuttgarter Publikum sind derartige Töne, die Geräuschhaftes in die Musik transportieren, nicht unbekannt, siehe „Das Mädchen mit den Schwefelhölzchen“ von Helmut Lachemann und **„Randolph‘s Erben“** von Ruedi Häusermann …

Staatsoper Stuttgart

Musikalische Leitung Johannes Kalitzke
Regie Yona Kim
Bühne Herbert Murauer
Kostüme Katharina Weissenborn
Licht Reinhard Traub
Klangregie Dieter Fenchel
Dramaturgie Angela Beuerle, Albrecht Puhlmann

Besetzung

Frauenstimme, hoch Yuko Kakuta
Frauenstimme, tief Noa Frenkel
Männerstimme, hoch Daniel Gloger
Männerstimme, tief Andreas Fischer

Klarinette Volker Hemken

Saxophon Rico Gubler
Posaune Uwe Dierksen
Singende Säge David Shively
Viola Mary Oliver
Violoncello Séverine Ballon

Staatsorchester Stuttgart

Statisterie der Staatsoper Stuttgart
Kinder aus Schulen in Stuttgart und Umgebung

Randolph's Erben – Ruedi Häusermann

Ruedi Häusermann – Meister der alltäglichen Lebensfreude - fasst in Töne, was uns allen vertraut ist.

Der Beginn am Morgen, wenn alle ihren Rhythmus in der Arbeit gefunden haben bis hin zum Ladenschluss, wenn alles wieder eingepackt wird und Ruhe eintritt, ertönen aus den Streich- und Blasinstrumenten der Musiker. Genau wie das aufkommende Gewitter, vorbeifahrende Trambahnen und das Verkaufstraining des Lehrmädchens, sogar das Schreibmaschinengeklapper - während der Seniorchef diktiert – stammen vom Orchester.

Mit der simplen Nachfrage, ob es für seine alte Klarinette noch eine Ersatzklammer gäbe, versetzt ein Kunde die Belegschaft des Musikinstrumentenladens „Randolph's Erben" mit angeschlossener Instrumentenwerkstatt in helle Aufregung. Zu den immer hektischeren Klängen des Orchesters laufen der Seniorchef, der Juniorchef und Herr Eschmann (der sonst immer auf dem Klo hockt) von einem Raum in den anderen, die Treppen hoch und runter.

Sie schauen in Schubladen und Kartons, die mit verschiedenen Bezeichnungen/Etiketten/Aufklebern in den Regalen liegen. Sogar das versammelte Orchester beteiligt sich an der Suche.

Die Musiker springen von ihren Plätzen an den Werkbänken auf, trippeln geschlossen – und im Takt – zu einem Regal rechts, dann, nach vergeblicher Suche, zu einem Regal links der Bühne, gefolgt von aufgeregtem Geschnatter. Lediglich das reizende Lehrmädchen kümmert sich um den Kunden, an dem alle nur vorbeirennen.

Sie fragt ihn, ob er nicht lieber eine Langspielplatte kaufen möchte und singt ihm die Melodie auf la-la-la vor – die wohl einzige Arie in dieser Oper. Der Kunde hört sich das an und entscheidet am Ende: „Nein, ich möchte doch lieber eine Klarinettenklammer."

So aufgeregt wie in dieser Szene geht es selten zu in dieser Oper, die sich ganz aus Klangmalereien aufbaut. Gespielt wird die Oper „Randolph's Erben" von drei gleichberechtigten Quartetten, die die Zuschauer über neunzig Minuten in Traumwelten versetzen.

Gilt Verdi als Meister der großen Gefühle, könnte man Ruedi Häusermann als Meister der alltäglichen Lebensfreude bezeichnen.

RANDOLPH'S ERBEN – Blas- und Streichinstrumente An- und Verkauf

Ein Auftragswerk der Staatsoper Stuttgart für die Junge Oper
Komposition und Regie **Ruedi Häusermann**

Die Uraufführung dieser Oper ohne Worte findet auf einer Bühne statt, die an eine Illustration aus einem Bilderbuch erinnert.

Fast jeder hat sich schon einmal als Kind vorgestellt, wie die Figuren aus seinem Lieblingsbilderbuch lebendig werden. Tiere können sprechen, Stühle laufen, Blumen duften, Straßenbahnen quietschen und Motorräder knattern. So etwas Ähnliches passiert in Randolph's Erben. Hier beginnt der Traum früh morgens, wenn der Tag erwacht, und endet spät abends mit der Dunkelheit.

Dazwischen liegt ein Arbeitstag in einem Musikinstrumentenladen mit Werkstatt, schallschluckendem Übungsraum, Seniorchef-Büro-Balkon, Instrumentenlager. Nicht zu vergessen das Toilettenlicht, das verrät, wann Herr Eschmann sich wieder einmal eine Pause gönnt.

Bühnenbild – Hommage an ein altes Handwerk

Die Bühne – Giuseppe Reichmuth, Ruedi Häusermann, Ulrich Schneider – sieht aus wie ein aufgeklapptes Pop-up-Bilderbuch, nur dass das Umblättern entfällt, weil die Seiten übereinander und hintereinander stehen. Eine Werkstatt für Musikinstrumente mit originalgetreuen Werkbänken, darüber ein Verkaufsraum mit einem Schaufenster, durch das der Blick auf eine Straßenschlucht eines Altstadtviertels fällt.

Es beginnt am Morgen, alle treffen ein. Musiker sitzen an Arbeitstischen, die genau so aussehen wie in einer funktionierenden Werkstatt, mit allen möglichen Werkzeugen von der Zwinge bis zum Schleifpapier, denen die Musiker Töne entlocken. Sie spielen nicht nur ihr Instrument, sie feilen, hämmern, sägen im Takt. Die Stimmung – Hektik, aufkommendes Gewitter, Kaffeepause – erzeugen die Musikinstrumente. Ebenso die Geräusche – Auto, Schreibmaschine, ein Vertreter öffnet seinen Koffer …

Kostüme wie aus den Anfängen der Brühwürfelwerbung – 50er Jahre.

Die Damen treten auf mit ihren taillierten Kleidern, Schuhen mit hohen Absätzen, hochgesteckten Frisuren. Aber auch für die Herren fällt der Kostümbildnerin Barbara Maier einiges ein, zum Beispiel die Pepitahose des Cellisten, die hinten mit einem Schrägstoff-Band gleichen Musters durch eine Schnalle enger und weiter gemacht wird. Details, Details, Details lassen die Augenmenschen jubilieren, obwohl dabei nicht die Musik zu kurz kommt, sondern dieses Augenkino noch unterstreicht – hundert kurzweilige Minuten lang.

Instrumente: Streichquartett: 2 Violinen, Viola, Violoncello

Bläserquartett: Klarinette und Bassklarinette, Tuba, Flügelhorn, Fagott

Salome – Richard Strauss

Die Oper handelt von der verwöhnten Prinzessin Salome, die von den Männern immer alles bekommt, was sie will. Immer? Immer! Alles? Alles!

Wie schön ist die Prinzessin *Salome* heute Nacht!

Auf der Terrasse im Palast des *Herodes* halten Soldaten Wache. Zur einen Seite beobachten sie in den Palast, zu der anderen schauen sie auf die Zisterne, in der sich der gefangene Prophet *Jochanaan* befindet. Hauptmann *Narraboth* allerdings schwärmt nur davon, wie schön die Prinzessin *Salome* wieder aussieht. Er kommentiert jeden ihrer Schritte. *Salome* schlendert zu ihnen auf die Terrasse, denn drinnen wird sie von dem derzeitigen Mann ihrer Mutter mit Maulwurfsaugen angestarrt. *Herodes* ekelt sie an. Er langweilt sie.
Aus der Zisterne heraus verkündet der *Prophet* seine Botschaft. Als *Salome* hört, dass es sich um einen jungen Mann handeln soll, will sie ihn unbedingt kennenlernen. Aber auf Befehl von *Herodes* darf ihn niemand sehen. Wie alle übrigen Soldaten weigert sich auch *Narraboth, ihn heraufzuholen. Daraufhin verspricht Salome* ihm, dass sie ihn bei ihrem nächsten Spaziergang anlächeln und eine Rose nur für ihn fallen lassen wird. Erwartungsgemäß wird *Narraboth* schwach und holt den Propheten herauf – gegen den strengen Befehl des Königs.

***Jochanaan* will die Prinzessin nicht sehen, hören oder gar küssen.**

Jochanaan wird aus der Zisterne geholt und kündigt unbeirrt weiter den Messias an.

Bei der Gelegenheit verdammt er eine Frau, die mit ihren weiblichen Reizen in verschiedenen Ländern von Assyrien bis Ägypten Politik betrieb.

Salome erkennt darin ihre Mutter. *Narraboth* beschwört sie, nicht mit dem Propheten zu sprechen, denn er muss ihn so schnell wie möglich wieder in die Zisterne stecken.

Als der Prophet *Salome* entdeckt, reagiert er anders, als sie erwartet. Er will nichts von ihr wissen. In der Folge entspinnt sich ein Wettstreit der Eitelkeiten, der in der Geschichte der Oper einmalig ist. Als sie sich als Tochter der *Herodias* zu erkennen gibt, verlangt er von den Soldaten, sie von einem Auserwählten wie ihn zu entfernen. *Salome* schmeichelt ihm, dass seine Stimme so gut klingt.

Jochanaan will sie nicht ansehen.

Salome schwärmt von seinem weißen Leib, den sie berühren möchte.

Jochanaan will sie nicht weiter anhören.

Salome, zunehmend ungehaltener, lehnt seinen Leib jetzt als grauenvoll ab, der nur als Nest für Skorpione tauge. Aber sein schwarzes Haar, das noch schwärzer ist als Weintrauben, das möchte sie streicheln.

Jochanaan lehnt auch dies bestimmt ab.

Salome findet sogleich verschiedene Vergleiche, warum sein Haar so grässlich ist. Dafür hat sie jetzt seinen Mund auserkoren, den sie küssen möchte.

Irgendwann gibt es Jochanaan tatsächlich auf, sie zurückzuweisen. Stattdessen verkündet er unbeirrt – wie gehabt – seine Botschaft vom Messias.

Fortan reden beide aufs Irrste aneinander vorbei. *Salomes* mehrmals wiederholte fixe Idee lautet: „Lass mich deinen Mund küssen, Jochanaan“.

Narraboth versucht vergeblich, den Propheten in die Zisterne und *Salome* zur Vernunft zu bringen. Weil beides nicht klappt, ersticht er sich und fällt *Salome* zu Füßen. Sie schenkt ihm keine Beachtung.

Herodes* und *Herodias

Herodes kommt aus dem Palast, auf der Suche nach *Salome*. Gefolgt von *Herodias*, die das Geplänkel ihres Mannes mit ihrer Tochter mit gemischten Gefühlen verfolgt. Beide führen eine problematische Ehe. Erschwerend kommt hinzu, dass der Prophet aus der Zisterne heraus *Herodias‘* Lebenslauf kommentiert. *Herodias* möchte den Propheten zum Schweigen bringen. *Herodes* hat dabei ein mulmiges Gefühl. So ist der Streit auf der Terrasse schon vorprogrammiert und verläuft wie gehabt. *Herodes* weigert sich wieder einmal, den Propheten auszuschalten. Stattdessen bietet er *Salome* seinen besten Wein an, den sie ablehnt, zu *Herodias‘* Freude. *Herodes* bietet *Salome* Früchte an, die sie ablehnt. Er bietet ihr den Thron ihrer Mutter an, was sie ablehnt.

Währenddessen meldet sich *Jochanaan* aus der Zisterne. Es geht um einen ankommenden Messias. Juden und Nazarener streiten sich derweil, ob diese Botschaft nun seriös ist oder nicht. Währenddessen verkündet der *Prophet* schlimme Plagen, die über die ganze Menschheit hereinbrechen werden, sofern man seine Ratschläge nicht befolgt.

Tanz der sieben Schleier oder wie (nicht nur) Herodes seinen Kopf verliert

Um sich abzulenken, bittet *Herodes Salome*, für ihn zu tanzen. *Salome* mag nicht. *Herodes* ist bereit, ihr alles zu geben, was sie begehrt, wenn sie für ihn tanzt. Das macht *Salome* hellhörig. Sie lässt es ihn samt großem Ehrenwort schwören. *Herodes* ist außer sich vor Freude, dass *Salome* für ihn tanzt – im Gegensatz zu *Herodias* und *Jochanaan*.

Es folgt der berühmte Tanz der sieben Schleier, bei dem *Salome* sechs Schleier, einen nach dem anderen, fallen lässt. (Dieser Tanz sorgte jahrelang für große Skandale und volle Opernhäuser.) *Herodes* ist begeistert und bereit, ihr das Honorar auszuzahlen. Er denkt dabei an sein halbes Königreich. *Salome* lehnt bescheiden ab. Sie möchte lieber etwas, was auf ein Silbertablett passt. Kein Problem für *Herodes*. Er lässt eine Silberschüssel kommen. Als *Salome* in dieser Schüssel den Kopf des *Jochanaan* verlangt, freut sich *Herodias*. Sie meint, ihre Tochter will sie wegen dessen gehässiger Worte rächen. *Herodes* sucht einen Ausweg aus dem Dilemma und verspricht *Salome* den schönsten Smaragd der Welt.

Salome bleibt stur.

„Den Kopf des *Jochanaan.*“

Also, dann weiße Pfauen.

„Den Kopf des *Jochanaan.*“

Er schlägt ihr verschiedene Edelsteine vor, geht über zum Mantel des Hohepriesters und bietet ihr sogar den Vorhang des Allerheiligsten an.

„Den Kopf des *Jochanaan.*“

Während der Henker sich schon auf den Weg in die Zisterne macht, gibt *Herodes* klein bei: „Sie ist doch ihrer Mutter Kind.“

„Man töte dieses Weib!“

Salome lauscht voller Vorfreude, was in der Zisterne vor sich geht. Sie hört keinen Laut, obwohl sie sich vorstellt, wie er jetzt vor Angst zittern müsste. Schon fürchtet sie, dass es dem Henker nicht gelungen ist, *Jochanaan* den Kopf abzuschlagen, da streckt sich ein riesengroßer schwarzer Arm aus der Zisterne heraus. Mitten in der Silberschüssel prangt der Kopf des *Jochanaan*, dem man ansieht, dass er kurz zuvor noch quicklebendig war.

Begeistert greift *Salome* nach der Schüssel. Jetzt hat sie, was sie begehrte, und beginnt ein Zwiegespräch mit dem Schädel des Propheten: „Du wolltest deinen Mund nicht küssen lassen …“ Sie beschwert sich, dass er sie nicht ansieht mit seinen schönen schwarzen Augen. Seine Zunge spricht nicht mehr gegen sie und ihre Mutter. Seine Haut ist nicht mehr so rein, wie sie vorher war, und sein Mund – warum will er denn ihren Mund nicht küssen?

Dann geht sie über zu Vorwürfen. Schließlich ist alles seine Schuld, denn wenn er sie angesehen hätte, hätte er sie geliebt. Wenn er sie geliebt hätte, hätte er sie geküsst. Wenn er sie geküsst hätte, wäre er jetzt noch am Leben – *Salomes* Logik. Ihr Abschiedslied lautet: „Ah! Ich habe deinen Mund geküsst, *Jochanaan* …“

Herodes wendet sich angeekelt ab und ruft über die Schulter zurück: „Man töte dieses Weib!“ Die Soldaten stürzen sich auf *Salome* und begraben sie unter ihren Schilden. Der Vorhang fällt schnell.

Salome (op. 54), eine Oper in einem Akt von Richard Strauss.

Die Oper beruht fast wörtlich auf dem gleichnamigen Drama von Oscar Wilde aus dem Jahr 1891 und kann als erste Literaturoper bezeichnet werden. Das Libretto richtete Richard Strauss selbst ein, nach der Übersetzung von Hedwig Lachmann. Die Uraufführung fand am 9. Dezember 1905 in der Semperoper in Dresden statt. Die Oper spielt im Palast zur Zeit der Regierung von Herodes II. Antipas und dauert ungefähr 90 Minuten.

Personen: *Herodes* (Tenor); *Herodias*, seine Gattin (Mezzosopran); *Salome*, Tochter der Herodias (Sopran); *Jochanaan*, ein Prophet (Bariton); *Narraboth* (Tenor); ein Page der Herodias (Alt); fünf Juden (4 Tenöre, 1 Bass); zwei Nazarener (Bass, Tenor); zwei Soldaten (Bässe); ein Kappadozier (Bass); ein Sklave (Sopran)

Schaum der Tage – Edison Denisov

Eine Zusammenfassung gibt nur bedingt den unwirklich absurden, tragisch endenden Liebestraum wieder. Seinen Roman schmückt Boris Vian mit kreativen Wortschöpfungen, skurrilen Personen und grotesken Situationen aus, die eigene Bilder im Kopf entstehen lassen.

Nicht nur bei den Lesern! Jenseits des Eisernen Vorhangs – den angeblich nicht einmal Hasen passieren konnten – ließ sich der russische Komponist **Edison Denisov** durch ein Roman-Exemplar zu einer Oper inspirieren, die sogar 1986 in Paris uraufgeführt wurde.

***Colin* lebt mit seiner Hausmaus in einer hellen, großzügigen Wohnung von seinen ererbten Dublonen, für seine Liebe zu Duke Ellington und in den Tag hinein.** Seinen mittellosen Freund *Chick* – der sich als Ingenieur verdingen muss – unterstützt er in Form von exquisitem Essen. Sein neuer Sternekoch *Nicolas* hat eine Fischterrine gezaubert mit einem Aal, den er aus der Wasserleitung herausgelockt hat. *Nicolas* stellt sich als Onkel von *Alise* heraus, in die *Chick* sich verliebte.

***Chick* wacht eifersüchtig über *Alise* und ist darauf bedacht, dass *Colin* ihr nicht zu nahe kommt.** Als sie gemeinsam ihre Runden auf der Eisbahn drehen, bringt er *Colin* mit *Alises* Freundin *Isis* zusammen. *Isis* ist sofort angetan von dem jungen Mann und lädt ihn gleich zu einem Fest ein: Ihr Pudel feiert Geburtstag. Neben allerhand merkwürdigen Gestalten mit ebenso merkwürdigem Buffet entdeckt *Colin* die schöne *Chloé*.

Sie verlieben sich ineinander und beschließen zu heiraten. Für die feierliche Hochzeitszeremonie in der Kirche gibt *Colin* 5.000 Dublonen aus. Priester, Küster und Helfer dekorieren die Kirche über und über mit Blumen.

Die Unterkircher stehen Spalier, um *Chloé* durchzulassen – in ihrem extravaganten Hochzeitskleid aus einem Cellophanbüstenhalter und zwei Schichten Musseline übereinander. Sie engagieren eine Musikkapelle, die vor vier Mikrofonen Lieder von **Duke Ellington** spielt. Die Priester, Küster und Helfer kommen hundert Meter von der Kanzel heruntergeschwebt – in Fallschirmen, die sich unten zu Blumen öffnen.

Nach diesem rauschenden Fest folgt die Hochzeitsreise mit dem Koch *Nicolas* als Chauffeur. Sie verfehlen die Straße, kommen immer mehr von ihrem Weg ab, fahren durch hässliche Industriegebiete. Sie durchqueren sogar eine Kupfermine, in denen die Arbeiter metallisch und alles andere als freundlich aussehen. Unterwegs rasten sie in verschiedenen Hotels. Chloé hustet und friert ständig, also fahren sie heim.

***Colins* Freund *Chick* kann seine geliebte *Alise* nicht heiraten, weil er ihren Eltern als zu arm erscheint.** *Colin* schenkt *Chick* Geld, nämlich 25.000 von seinen ererbten 100.000 Dublonen. *Chick* kauft damit aber stattdessen Bücher seines verehrten Schriftstellers Jean Sol Partre – ein ganz besonders Kostbares ist auf unperforiertem Toilettenpapier geschrieben. Mit dem Geld im Sack hat er nur noch Augen für seine Bücher. *Alise* interessiert ihn nicht mehr.

Inzwischen wird *Chloé* ernstlich krank. *Professor Freßfraß* stellt eine seltene Krankheit fest. In *Chloés* Lungenflügel wächst eine Seerose, die in ihrem Wachstum nur vom Duft anderer Blumen gestoppt wird.

Colin kauft so viele Blumen, wie er habhaft werden kann. Die Blumen verwelken schnell. Alles um *Chloé* herum verschimmelt und versumpft. Allmählich schmilzt auch *Colins* finanzielles Polster.

Der Medizinprofessor verlangt Unsummen für seine Diagnosen, und die täglich frischen Blumen gehen ins Geld. Mit dem geschrumpften Vermögen wird das Haus immer kleiner. So klein, dass der Arzt mit der Leiter ins kugelige Schlafzimmer klettern muss.

Um seine geliebte *Chloé* zu retten, sucht sich *Colin* Arbeit. Er ist darin unerfahren, denn vorher hat er so etwas noch nie gemacht. Nach verschiedenen Anläufen bei strengen Direktoren findet er einen gut bezahlten Job. Er lässt mittels seiner Körperwärme Gewehrläufe aus seinem Körper wachsen. Das kostet ihn viel Kraft. Noch mehr Kraft kostet ihn seine letzte Arbeit, die er annimmt, weil sie noch besser bezahlt wird als alle anderen Arbeiten davor. *Colin* wird zum Überbringer schlechter Nachrichten. Als er eines Tages seine eigene Anschrift auf seiner Besucherliste findet, weiß er, dass *Chloé* noch am selben Tag sterben wird.

***Chick* kauft alles auf, was ihm von Buchhändlern angeboten wird.** Für teures Geld erwirbt er eine Pfeife mit Jean Sol Patres Fingerabdruck. Um bei einem Vortrag seinem Idol möglichst nahe zu sein, besticht er für eine Unsumme den Pförtner, der ihn in den Boden unter den Stuhl des Schriftstellers kriechen lässt usw. Weil *Chick* keine Steuern bezahlt, wird er von Steuereintreibern getötet.

***Alise* kann es nicht mehr mit ansehen**. Während *Chick* gerade umgebracht wird, geht sie in Jean Sol Partres Lieblingscafé und ermordet ihn mit *Chicks* Herzausreißer. Danach zündet sie die Buchhandlungen an und meuchelt die Buchhändler, die *Chick* die Devotionalien verkauften.

Für *Chloé* bleibt nur noch ein Armenbegräbnis, denn *Colin* hat kein Geld mehr. Schlecht gelaunte Priester und Hilfskräfte schmeißen den Sarg aus dem oberen Stockwerk auf die Straße. Auf dem Friedhof öffnen sie den Sargdeckel, bevor sie ihn in die Grube donnern, lassen Unmengen von Schutt hineinfallen, begleitet mit obszönen Gesängen.

Die kleine Maus kann *Colins* Trauer nicht mehr ertragen. Sie muss die desinteressierte Katze überreden, ihr dabei zu helfen. Schließlich darf sie ihren Kopf in das Katzenmaul hineinlegen. Die Katze beißt nur zu, wenn sie durch einen Reflex dazu gezwungen wird. Sie legt deshalb ihren Schwanz so auf den Weg, dass die 12 blinden Mädchen darauf treten müssen – und schnapp …

Schaum der Tage - Musik von Edison Denisov, nach einem Roman von Boris Vian.

Wer den Roman von Boris Vian kennt, sollte die blumigen Beschreibungen und bizarren Bilder vorsichtshalber vergessen und sich neu auf die Aufführung konzentrieren. Übrig geblieben ist das Gerippe der Handlung, dass vor allem von der Liebe zwischen Colin und Chloé erzählt – allerdings mit wörtlichen Zitaten aus dem Roman. Edison Denisov, der russische Komponist mit einer Vorliebe für Bläser, Schlagzeug und Duke Ellington, verfasste das Libretto selbst - nach dem Roman von Boris Vian.

Personen: *Colin*; *Chloé*; *Chick*, Freund von *Colin*; *Alise, Chicks* Freundin; *Nicolas, Colins* Koch; *Isis*, Freundin von *Chloé*; *Doktor Mangemanche*; *Coriolan*; *der Priester*; *der Direktor der Waffenfabrik*; *Jesus*; *das Mädchen*; *die Katze*; *Schuppentier*; *die Maus*

Schicksal – Leoš Janáček

In einem eleganten Kurort wird eine junge Frau von Verehrern belagert, aber sie möchte nur ihren Ex-Liebhaber und Vater ihres Kindes treffen, den Komponisten *Živný*. Sie versöhnen sich, heiraten und ziehen zusammen – mit Kind und Schwiegermutter. Nach dem Unfalltod seiner Frau versucht *Živný*, eine Oper über Ihre Liebesbeziehung zur Uraufführung zu bringen – ihm fehlt jedoch der letzte Akt.

Janáček lernte in einem Kurort eine junge Frau kennen, die von ihrem Liebhaber, einem Komponisten, mit einem Kind sitzengelassen wurde – damals eine Schande. Er setzt sich für diese Frau ein, indem er ihr eine Oper widmet, die ihre Ehre wiederherstellen soll. Das Libretto verfasst er selbst. Die Geschichte spielt in eben diesem Kurort mit viel Lokalkolorit. Neben der Kurkapelle verewigt er auch den Damenchor und die Kurgäste – besonders die Herren, die Jagd auf die attraktiven Damen machen.

Erster Akt – In einem vornehmen Kurort

Die attraktive *Míla* kann sich vor Kurschatten kaum retten. Von Ferne entdeckt sie ihren Exliebhaber *Živný*. Sie lenkt ihre Begleiter in seine Richtung. *Živný* kann ihr nicht ausweichen, und so kommt es zu einer Aussprache zwischen den beiden. *Živný* steht noch immer unter dem Eindruck seines Verliebtseins. *Míla* erzählt ihm, dass sie ihren Mann seinetwegen verließ.

Später wurde sie weit weg von Prag geschickt, um die „peinliche Krankheit“ zu überstehen – sie gebar einen Sohn. In *Živný* erwacht Verantwortungsgefühl für Frau und Kind.

Inzwischen sucht *Mílas Mutter* nach ihrer Tochter, denn anscheinend hat sie Wind von *Živnýs* Anwesenheit bekommen.

Janáček ließ die Oper ruhen und kommt nach längerer Zeit wieder zum Komponieren. Inzwischen hat sich auch in seinem Leben einiges geändert. Er spinnt den Stoff weiter zu einem zermürbenden Alltagskrieg. *Živný*, *Míla* und der Sohn leben zusammen mit *Mílas* Mutter, die inzwischen wahnsinnig geworden ist. *Živný* schreibt eine Oper über ihre Liebe, kommt aber auch hier nicht über das erste Verliebtsein hinaus. Anscheinend hört bei ihm (und Janáček) die Welt nach diesem Urknall-Erlebnis auf.

Zweiter Akt – Familie in beengten Verhältnissen (nach vier Jahren)

Auf engem Raum leben *Míla*, *Živný* und der Sohn *Doubek* zusammen. *Živný* spielt *Míla* seine Oper auf dem Klavier vor, wobei er die Zeit seiner aufkeimenden Liebe in farbige Musik fasst. *Míla* sieht die Anfangszeit etwas anders, denn sie war gesellschaftlich geächtet. *Živný* kann keinen Schluss komponieren, weil ihn sowohl das Kind nervt als auch die Schwiegermutter, die sich ständig von ihm verfolgt fühlt. Wieder einmal beschimpft sie ihn, schmeißt ihre Geldkassette den Balkon hinunter – damit er nichts abbekommt – und stürzt sich hinterher. *Míla* versucht ihre *Mutter* zu halten und fällt ebenfalls in die Tiefe. *Živný* holt den leblosen Körper seiner geliebten Frau und beklagt sein (eigenes) Schicksal.

Janáček nimmt nach einer Auszeit erneut die Arbeit an dieser Oper auf und möchte sie zu Ende bringen, aber es fällt ihm kein Schluss ein. Er hat seinen Freund und Schriftsteller Max Brod gebeten, das Libretto zu überarbeiten. Der sieht sich außerstande, dieser wirren Handlung eine Form zu geben. Also komponiert Janáček die Oper, die plötzlich endet, über den fehlenden Schluss. Er lässt den Komponisten einfach sterben.

Dritter Akt – Die Oper soll endlich uraufgeführt werden (nach fünfzehn Jahren).

Studenten üben in der Aula den letzten Akt der Oper, die keinen Schluss vorweist. *Živný*, inzwischen Professor am Konservatorium, kommt hinzu und gerät ins Schwärmen. Ihm fallen sämtliche Begebenheiten seiner Liebe wieder ein. Sein Sohn *Doubek*, hier ebenfalls Musikstudent, erinnert sich anhand der Erzählungen seines Vaters an Ereignisse, die kurz vor dem Tode seiner Mutter passierten. *Živný* wird von den Erinnerungen überwältigt. Als die Studenten das „Gewitter“ üben, hört er *Míla* weinen und fällt ohnmächtig zu Boden. Er wacht kurz auf und bestimmt, der letzte Akt sei „in Gottes Händen“ und werde „auch dort bleiben“. *Živný* stirbt in den Armen seines Sohnes *Doubek*.

Schicksal (Osud) – Musik und Libretto von Leoš Janáček, komponiert von 1903 bis 1907.

Die konzertante Uraufführung war eine Rundfunkübertragung am 18. September 1934 von Radio Brno. Szenisch wurde die Oper am 25. Oktober 1958 in Brünn uraufgeführt. Einen Tag später, am 26. Oktober 1958, fand die deutsche Erstaufführung am Württembergischen Staatstheater Stuttgart statt. Die Spieldauer beträgt 80 Minuten. Die Handlung spielt in einem slowakischen Kurort am Anfang des 20. Jahrhunderts.

Personen: *Živný*, Komponist (Tenor); *Míla Válková*, seine Geliebte (Sopran); *Milas Mutter* (Mezzosopran); *zwei Gattinnen von Stadträten* (Sopran); *eine alte Frau* (Alt); *die Majorfrau* (Sopran); *Frau Součková* (Sopran); *Konečný* und *Lhoský* (Bariton); *Dr. Suda*, Arzt (Tenor); *Pacovská*, ein junges Mädchen (Sopran); *Fräulein Stuhlá*, eine Lehrerin (Alt); *Verva*, ein Dirigent (Bariton); *zwei Wirte* (Tenor, Bass); *Kosinská*, eine Sängerin (Sopran); *Doubek*, fünfjährig [1. Akt] und neunjährig [2. Akt] (Knabensopran), als Student (Tenor); Kur- und Sommergäste, Studenten, junge Leute, Musiker, Volk

Siegfried – Richard Wagner

Die Vorgeschichte - der zweite Tag der Operntetralogie „Der Ring des Nibelungen“.

Nach *Siegmunds* Tod schnappt sich *Brünnhilde* geistesgegenwärtig die schwangere *Sieglinde* und das zerbrochene Schwert Nothung. Vor den cholerischen Ausbrüchen ihres gemeinsamen Vaters *Wotan* versteckt sie Frau und Schwertstücke im Fafnerwald.

Hier findet der Zwerg *Mime* sie bei *Siegfrieds* Geburt – die *Sieglinde* nicht überlebt - und nimmt sowohl *Siegfried* als auch das Schwert Nothung mit in seine Höhle. Nicht ganz uneigennützig, denn *Mime* hat die Niederlage gegen seinen Bruder *Alberich* nicht vergessen, der ihn einst zwang, aus dem geraubten Gold sowohl eine Tarnkappe als auch einen Ring zu schmieden. Mit dem Ring machte sich *Alberich* die Welt untertan – und seinen Bruder *Mime* gleich mit. Durch einen simplen Trick ging beides an die Götter, die mit dem ganzen Schatz wiederum die Riesen bezahlen mussten. Aus Angst, ihn wieder zu verlieren, verwandelte sich der Riese *Fafner* in einen Drachen und hockte sich auf den Schatz. *Mime* hofft, mit dem Schwert Nothung *Alberich* zu besiegen, und wer weiß, wozu *Siegfried* ihm dabei von Nutzen sein kann.

Erster Aufzug – Mime als überforderter Erzieher; *Wotans* Ratespiel; *Siegfried* schmiedet Nothung neu.

Bisher hat es *Mime* trotz seines Könnens als Schmied nicht geschafft, das Schwert Nothung zu reparieren. Sobald *Siegfried* es in die Finger bekommt, bricht es entzwei. *Siegfried* hat vor nichts Respekt. Er steckt mitten in der Pubertät und ärgert *Mime*, wo es nur geht.

Seit *Siegfried* die Geschichte seiner Eltern aus *Mime* herausgekitzelt hat, tickt die Uhr. Beide können sich nämlich nicht leiden und suchen nach einer Gelegenheit, den anderen für immer loszuwerden.

Während *Mime* seine Sisyphusarbeit des Schwertschmiedens fortsetzt, bekommt er Besuch von *Wotan* in Gestalt des Wanderers, der ihm ein Ratespiel aufzwingt, das *Mime* prompt verliert. Er weiß nämlich nicht, wer das Schwert Nothung zusammenschweißen wird. Dabei ist es so einfach: Nur wer keine Angst hat, schmiedet Nothung neu, und durch ebendiesen „Furchtlosen" wird *Mime* seinen Kopf verlieren. *Mimes* Verdacht fällt sofort auf *Siegfried*, dem er umgehend das Fürchten beibringen muss. Er will *Siegfried* dazu bringen, mit dem Drachen *Fafner* zu kämpfen. Dabei wird ihm die Angst von allein kommen. Aber vorher soll *Siegfried* sein Schwert gefälligst selbst schmieden. *Siegfried* packt tatsächlich die Schwertstücke zusammen in einen Tiegel, schmilzt sie ein und schmiedet ein neues Schwert daraus, während *Mime* einen Gifttrank braut.

Dauer des ersten Aufzugs: 1 Stunde 20 Minuten

Zweiter Aufzug – *Siegfried* ersticht Fafner; *Siegfried* versteht die Vogelsprache; *Siegfried* nimmt Helm und Ring.

Alberich lauert vor *Fafners* Höhle auf eine Gelegenheit, um irgendwie wieder an Ring und Tarnkappe zu kommen. *Wotan* der Wanderer kündigt ihm *Siegfrieds* und *Mimes* Kommen an. Beide verstecken sich in der Hoffnung, von den Fehlern des anderen zu profitieren. *Mime* führt *Siegfried* zur „Neidhöhle“ und verzieht sich vorsichtshalber, während *Siegfried* sich auf sein „Fürchten“ freut, das er bisher noch nicht kannte.
Aus lauter Langeweile bastelt er sich ein Horn, auf dem er nach einigen vergeblichen Ansätzen den berühmten Siegfriedruf bläst – das Vorzeigesolo aller Hornisten. Damit lockt er *Fafner* aus der Höhle, den er nach kurzem Kampf mit seinem neu geschmiedeten Schwert niedersticht. Durch ein Bad im Drachenblut kann *Siegfried* plötzlich die Sprache des *Waldvögelchens* verstehen. Es rät ihm, Tarnhelm und Ring an sich zu nehmen – sehr zum Verdruss der Lauernden. Außer der Vogelsprache versteht *Siegfried Mimes* Gedanken, die etwas ganz anderes sagen als sein Mund. So versucht *Mime*, ihm mit strahlendem Lächeln sein Giftgebräu anzudrehen, während er von „Kopf abschlagen“ singt. *Siegfried* quittiert es mit einem Hieb seines Schwertes Nothung. Wieder allein, sehnt er sich nach einem Ansprechpartner. Auch hier weiß das *Waldvögelchen* Rat. Es zeigt ihm den Weg zum Walkürenfelsen, auf dem eine Person liegt, die dem gehören soll, der sie erweckt.

Dauer des zweiten Aufzugs: 1 Stunde 15 Minuten

Dritter Aufzug – *Erda* warnt *Wotan; Wotan* verliert seinen Speer; *Siegfried* erobert *Brünnhilde*

Blick auf die Patchworkfamilie: *Wotan* und Urmutter *Erda* sind die Eltern von *Brünnhilde*. *Siegfried* ist der Sohn von *Wotans* Kindern Siegmund und Sieglinde – also *Wotans* Enkel. Somit ist *Brünnhilde* die Tante von *Siegfried. Wotan* meint bar jeder Logik, mit diesem neuen Geschlecht, das die beiden gründen sollen, den Fluch des Ringes zu brechen und den Untergang der Götter zu stoppen. *Erda* sieht die Götterdämmerung voraus und ist gegen die Verbindung.

Wotan hat auch bei *Siegfried* kein Glück, denn der weiß nichts von seinem Großvater. *Siegfried* diskutiert nicht lange, sondern schlägt mit seinem unbesiegbaren Schwert *Wotans* heiligen Speer in Stücke. Damit ist der Weg frei zum Walkürenfelsen.

Hier zeigt sich, dass *Siegfried* noch einiges in der Schule des Lebens nachzuholen hat. Was *Mime*, Drache & Co nicht geschafft haben, befällt *Siegfried* beim Anblick der im Feuerreif schlafenden *Brünnhilde*. Eine Frau hat er vorher noch nie gesehen und kann sie auch nicht einordnen. Er stellt nach einigen Mutmaßungen und Fehlinterpretationen fest, dass es sich wohl nicht um ein Pferd handelt. Diese Feststellung führt beim Publikum, je nach Besetzung der *Brünnhilde*, zum Schmunzeln bis hin zu hartnäckigen Lachkrämpfen. Doch die Natur siegt, sowohl bei dem jungfräu-männlichen *Siegfried* als auch bei der ausgeschlafenen *Brünnhilde*.

Dauer des dritten Aufzugs: 1 Stunde 20 Minuten

mit Text und Musik von Richard Wagner ist nach dem Vorspiel **Das Rheingold**, dem ersten Tag **Die Walküre** der zweite Tag der Operntetralogie **Der Ring des Nibelungen**. Als dritter und letzter Tag folgt die **Götterdämmerung**. Die Uraufführung fand am 16. August 1876 im Festspielhaus Bayreuth statt.

Personen: *Siegfried* (Tenor); *Mime* (Tenor); *Wotan* (Bariton); *Alberich* (Bass); *Fafner* (Bass); *Erda* (Alt); *Brünnhilde* (Sopran); *Stimme des Waldvogels* (Sopran)

Tannhäuser – Richard Wagner

Den Tannhäuser versetzte Richard Wagner ins finanzkräftige Hochadelsmilieu. Er entwarf dafür luxuriöse Bühnenkleider aus Samt und Seide. Nachdem die Aufführung in Paris zu einem Flop wurde, wurde extra für die teure Kleidung eine neue Oper in Auftrag gegeben, die dem Pariser Lebensgefühl besser entsprach.

Erster Aufzug: *Tannhäuser* im Venusberg

Venusberg lässt sich – je nach Alter, intellektueller Vorbildung, Veranlagung, Reifegrad – mit Freudenhaus, Kommune Eins oder Takatukaland übersetzen. Es ist ein Ort, an dem einengende Gesetze nicht gelten. Alles, was Spaß macht, ist erlaubt – sogar das, was dick macht. Das äußert sich in einer Ballettszene, die das Leben im Venusberg veranschaulicht und die Zuschauer vor Neid oder Sehnsucht erblassen beziehungsweise erröten lässt.

Tannhäuser lebt schon eine Weile hier und hat dieses Leben inzwischen gestrichen satt. Er möchte wieder in seine gewohnte Umgebung, aus der er einst flüchtete. Er sehnt sich nach seinen Freunden und Feinden, selbst wenn sie noch so spießig sind. *Venus* jedoch hat sich an ihn gewöhnt und setzt alle ihre Reize ein, damit er bei ihr bleibt. *Tannhäuser* befreit sich durch die – im Venusberg – unanständigen Wörter „Heilige Jungfrau Maria“. Dagegen kann *Venus* nichts ausrichten. Der Venusberg versinkt und katapultiert *Tannhäuser* in seine alte Heimat.

Dauer des 1. Aktes: 1 Stunde 5 Minuten

Zweiter Aufzug: Der Sängerkrieg auf der Wartburg

Tannhäuser begegnet einem *Hirtenjungen*, der ihm mit seinem Gesang und einem Englischhorn-Solo das Herz öffnet. Kurz danach trifft er seine alten Kameraden, die schon lange vergeblich nach ihm gesucht haben.

Nicht etwa seinetwegen – auf ihn und seine Künstlerallüren hätten sie gut verzichten können.

Sie suchen ihn, weil sich *Elisabeth* nach ihm verzehrt. Besonders *Wolfram von Eschenbach*, der seine *Elisabeth* so sehr liebt, dass er alles herbeischafft, um sie glücklich zu sehen – sogar einen anderen Mann. *Wolfram* krönt sich damit zum König der Herzen, zumindest der weiblichen.

Es trifft sich gut, dass am folgenden Tag ein Sängerwettstreit mit dem Thema „Liebeslied" stattfindet, an dem auch *Tannhäuser* teilnimmt. Dieser Wettstreit beginnt mit dem Einmarsch der Edlen, eventuell mit Ascot vergleichbar. Haarkünstler, Hutmacher und Kostümbildner stehen hier – seit Wagners Zeiten – im edlen Wettstreit um die elegantesten Kleider der Spielzeit.

Kaum beginnt der Wettstreit, stört *Tannhäuser*. Es regt ihn auf, dass die Sänger seiner Meinung nach keine Ahnung von der Liebe haben. Er selbst hält sich für einen Fachmann. Als man ihm freiwillig kein Gehör schenkt, platzt er damit heraus, dass er lange genug bei *Venus* in die Lehre ging. Das ist zu viel für die braven Leute. Er erhält den ultimativen Platzverweis. Nur durch *Elisabeths* Einspruch wird dieser Bann abgemildert. Sie schickt ihn mit einer zufällig vorbeikommenden Pilgerschar nach Rom, wo er für sein Verhalten Abbitte leisten und somit wieder gesellschaftsfähig werden soll.

Dauer des 2. Aktes: 1 Stunde 15 Minuten

Dritter Aufzug: *Elisabeths* und *Tannhäusers* Ende

Elisabeth wartet vergeblich auf *Tannhäusers* Rückkehr. Sie steigert sich so weit hinein, dass sie ihr Leben für seine Vergebung eintauscht. *Wolfram* sorgt sich um sie und wird dabei selbst depressiv, was in einem Trauergesang seinen musikalischen Ausdruck findet. *Elisabeth* lebt nicht mehr, als *Tannhäuser* unverrichteter Dinge aus Rom zurückkommt.

Der Papst vergab ihm seine Sünden nicht. Er hielt eine Reue für ebenso unwahrscheinlich, wie ein vertrockneter Wanderstab noch einmal frische Triebe treibt.

Nach diesem Desaster will *Tannhäuser* nur noch zurück zu seiner *Venus*, die auch schon bereitsteht, um ihn abzuholen. Das verhindert *Wolfram*, indem er *Elisabeths* Namen ruft. *Venus* verschwindet, *Tannhäuser* stirbt – mit *Elisabeths* Namen auf den Lippen.

Grüne Blätter sprießen aus seinem Wanderstab, den die singenden *Pilger* nach Rom mitnehmen, um dem Papst zu zeigen, dass er weder unfehlbar ist, noch eine Regel ohne Ausnahme besteht.

Dauer des 3. Aktes: 55 Minuten

Tannhäuser und der Sängerkrieg auf der Wartburg. Musik und Libretto zu dieser romantischen Oper in drei Akten schrieb Richard Wagner. Die Uraufführung fand am 19. Oktober 1845 in Dresden statt und war ein Flop. Die reine Spielzeit beträgt 3 Stunden 15 Minuten (in Bayreuth mit je einer Stunde Pause zwischen den Akten). Die Handlung spielt im 13. Jahrhundert auf der Wartburg in Thüringen.

Personen: *Hermann Landgraf von Thüringen* (Bass); *Tannhäuser* (Tenor); *Wolfram von Eschenbach* (lyrischer Bariton); *Walther von der Vogelweide* (Tenor); *Biterolf* (Bass); *Heinrich der Schreiber* (Tenor); *Reinmar von Zweter* (Bass); *Elisabeth*, Nichte des Landgrafen (Sopran); *Venus* (Sopran oder Mezzosopran); *ein junger Hirte* (Sopran); *vier Edelknaben* (Sopran und Alt); Bacchantinnen, Thüringischer Adel, Pilger (Chor)

Teseo – Georg Friedrich Händel

In der Oper Teseo lässt Händel die griechische Sagenwelt auferstehen. Die Grundweisheiten lassen sich gut vermitteln und auf Menschen in der Gegenwart übertragen, aber keiner muss sich angesprochen fühlen. Glücklicherweise sind immer die anderen gemeint, die Schlechtes in die Welt tragen und dafür bestraft werden.

Teseo liebt *Agilea*, die auch ihn liebt. *Clizia* liebt *Arcane*, die jedoch immer wieder versucht, ihn eifersüchtig zu machen – was ihr hervorragend gelingt. So bleibt deren Beziehung spannend. Beide Paare könnten froh und glücklich sein, wären da nicht *König Egeo* und vor allen Dingen *Medea*, die böse Zauberin.

Medea hat gerade durch ihre Kräfte dafür gesorgt, dass *König Egeo* den Krieg gewinnt. Dafür versprach er, sie zu heiraten und damit zur Königin zu krönen. Jetzt kommen ihm aber die Gefühle dazwischen, denn er hat sich in die schöne *Agilea* verguckt, die jedoch nicht ihn, sondern *Teseo* liebt.

Wie Könige nun mal sind, halten sie sich für unwiderstehlich und nehmen solche Ablehnung nicht ernst. *Teseo* stellt sich für ihn nicht als Hindernis dar, wohl aber *Medea*. Vorsichtig fragt er bei ihr an, wann sie denn zu heiraten gedenkt. Sie hat es aber nicht eilig, denn sie verliebt sich in *Teseo*. Dummerweise zeigt *König Egeo* seine Freude darüber zu stark und verrät, dass er sich in *Agilea* verliebt hat. Hier schluckt *Medea*, denn wenn sich jemand über die Entlobung freuen darf, dann sie.

Als sie zu *Teseo* geht und ihm klarmachen will, dass er fortan ihr Geliebter sein wird, schwärmt *Teseo* ihr von seiner Liebe zu *Agilea* vor. Das geht *Medea* zu weit. Sie erzählt *Teseo*, dass der *König* ein Auge auf *seinen Schwarm* geworfen hat, sie zur Königin krönen möchte, und bietet ihm an, die Sache zu bereinigen. *Teseo* stimmt freudig(!) zu. *Medea* bringt *Agilea* in ihre Gewalt und lässt sie von ihren Furien verprügeln, weil *Agilea* nicht von *Teseo* lassen will.

Erst als *Medea* damit droht, *Teseo* umzubringen, gibt sich *Agilea* geschlagen und willigt ein. Sie soll ihm nicht nur sagen, dass sie *König Egeo* heiraten wird, sondern auch, dass es aus Liebe und Überzeugung geschieht.

Als *Agilea* mit *Teseo* allein ist, klärt sie ihn auf. *Medea* lässt beide gewähren und wünscht ihnen Glück. Damit könnte diese Oper zu Ende sein, wenn diese Person nicht die vor Bösartigkeit sprühende *Medea* wäre. Wenn sie *Teseo* nicht bekommen kann, dann soll *Agilea* ihn erst recht nicht haben. *Teseo* muss also sterben. Das soll *König Egeo* erledigen, dem sie einredet, *Teseo* wolle nicht nur die von ihm auserwählte Frau, sondern auch seine Macht als König besitzen. *Medea* gibt *Egeo* den Giftbecher, den er *Teseo* anbieten soll. Kurz bevor *Teseo* trinkt, erkennt *König Egeo* in *Teseo* seinen Sohn, der als Jugendlicher verschleppt wurde. Gerade rechtzeitig entreißt er ihm den Giftbecher.

Nach diesem doppelten Rückschlag fährt *Medea*, je nach Inszenierung, mehr oder weniger theatralisch zur Hölle. Im Abschlusschor besingen alle die neu gewonnene Harmonie („Ed il Ciel in bella face, Splende, Fa la cara pace, Dolce premio dell'Amor.")

Teseo, Oper in fünf Akten von Georg Friedrich Händel, Libretto von Nicola Francesco Haym nach der literarischen Vorlage Thésée (1675) von Philippe Quinault.

Die Uraufführung fand am 10. Januar 1713 im Queen's Theatre, Haymarket, London statt. Die Handlung dieser 2 Stunden 30 Minuten langen Oper spielt in Theben, in antiker, mythischer Zeit.

Die Besetzung bei der Uraufführung: *Teseo* (Soprankastrat); *Agilea* (Sopran); *Medea* (Sopran); *Egeo* (Altkastrat); *Clizia* (Sopran); *Arcane* (Alt); *Priester der Minerva* (Bass)

Tosca – Giacomo Puccini

In der Oper Tosca zeigt Puccini sein Herz für Künstler und Liebende. Die Handlung spielt in Rom vom Mittag des 17. Juni bis zum Morgengrauen des 18. Juni 1800 in einer Zeit des politischen Umbruchs.

Mario Cavaradossi, der begehrte Promimaler, liebt *Floria Tosca*, die gefeierte Operndiva – und umgekehrt. Wie alle Künstler sind die beiden finanziell grundsätzlich von den Herrschenden abhängig. In unsicheren Zeiten ist es angebracht, mehrere Eisen im Feuer warmzuhalten, denn so manch ein Herrscher kann nachtragend sein.

Adlige dagegen müssen sich entscheiden, welche Regierung sie unterstützen. Wird diese gestürzt oder besiegt, ist es ratsam, entweder sofort zu fliehen oder in den Kampf zu ziehen. *Cesare Angelotti* war Konsul in Rom für die Römische Republik, die von den Gegnern besiegt wurde. Er wird in die Engelsburg gesperrt, kann aber entkommen. *Baron Scarpia* gehört der neuen Regierung als Polizeichef an – für ihn ein Traumposten, denn in dieser Position kann er mit Vergnügen seine sadistischen Neigungen ausleben. Kein Wunder, dass die neue Regierung wegen dieses Unsympathen nicht sonderlich beliebt ist.

Erster Akt – *Angelotti* flieht in die Kirche; *Tosca* ist eifersüchtig; *Scarpia* findet den Fächer.

Angelotti kommt nach seiner Flucht aus der Festung Engelsburg in die Kirche, in der seine Schwester ihm einen Schlüssel für die kleine Kapelle bereitgelegt hat. Darin befinden sich Frauenkleider für die Flucht.

Gleichzeitig malt *Cavaradossi* auf einem Gerüst an einem Monumentalgemälde einer Madonna, das die jetzige Regierung in Auftrag gegeben hat.

Der *Mesner* bringt ihm einen Frühstückskorb und erkennt, dass der berühmte Maler nicht irgendeine Madonna gemalt hat, sondern jene fromme Frau, die in den letzten Tagen häufig die Kirche aufsuchte und innig betete. Diese Kirchgängerin als Modell zu benutzen empört den *Mesner*, der gleich weiter denkt. Er solle sich lieber mit Knaben beschäftigen als mit der frommen Frau. *Cavaradossi* beruhigt ihn. Es sind nur Gesicht und Gestalt der schönen Fremden, die ihm als Modell diente. Nur seine *Flora Tosca* liebt er, bittet den *Mesner*, zu gehen und die Tür abzuschließen, damit er in Ruhe arbeiten kann.

Kaum ist er allein, kommt *Angelotti* aus der Kapelle. *Cavaradossi* bietet seinem früheren Auftraggeber an, ihn in seiner Villa zu verstecken. Zuerst muss *Angelotti* vor der nahenden *Tosca* fliehen, die sich für den Abend mit *Cavaradossi* in seiner Villa verabreden möchte. Wegen der abgeschlossenen Kirchentür wittert *Tosca* eine Nebenbuhlerin. In dem Madonnenbild erkennt sie die Schwester *Angelottis*. Mit weiblicher Logik folgert sie daraus, dass ihr Geliebter sich dieser Frau zugewandt hat. *Cavaradossi* versucht, sie zu beruhigen und hinauszukomplimentieren, was allerdings das Gegenteil bewirkt und Opernliebhabern einige unvergessliche Arien beschert.

Als *Tosca* verschwunden ist, kann sich *Cavaradossi* wieder mit *Angelotti* befassen, den er vorsichtshalber selbst zu seiner Villa begleitet. Gerade noch rechtzeitig, denn *Angelottis* Ausbruch wurde bemerkt, und *Scarpia* trifft wenig später mit seinen Schergen in der Kirche ein. Nur etwas später als der *Mesner*, der den Sieg über Bonaparte verkündet, also ein Triumph für die derzeitige Regierung.

Scarpia hatte zwar den richtigen Riecher, aber trotzdem keinen Erfolg. Da entdeckt er einen Fächer, der aus dem Paket mit den Frauenkleidern herausgefallen sein muss. Auf diesem Fächer prangt das Wappen der Gegner.

Tosca lässt die Eifersucht keine Ruhe. Sie kommt noch einmal wieder, zur Freude *Scarpias*, der sie beobachtet – hinter einer Säule versteckt. Sofort erkennt der intrigante Stinkstiefel die Lage, die er gleich für sich zu nutzen weiß. Er zeigt *Tosca* den Fächer, mit einem bedeutsamen Blick auf das Madonnengemälde, wohl wissend um die Gesetze weiblicher Logik. Mehr muss er nicht andeuten – *Tosca* versteht, *Scarpia* ebenfalls. Sofort lässt er nach *Toscas* überstürztem Aufbruch seine Spitzel hinter der Eifersüchtigen spionieren, die *Cavaradossis* Aufenthaltsort herausfinden sollen.

Zweiter Akt – *Scarpia* schmiedet Pläne; *Cavaradossi* wird gefoltert; *Tosca* lässt sich nicht vergewaltigen.

Scarpia sitzt allein in seiner Residenz und tafelt. Genüsslich stellt er sich vor, wie er *Tosca* zu einer Liebesnacht zwingen wird. Es soll ja keine Liaison für immer und ewig werden, denn dafür gibt es noch genug stolze und schöne Frauen. Ihm liegt nur daran, das Selbstwertgefühl dieser Frauen zu zerstören, die ihn freiwillig und bei wachem Verstand nie beachten würden.

Sein Chefspitzel *Spoletta* berichtet ihm, dass zwar *Angelotti* fliehen, *Cavaradossi* aber festgenommen werden konnte. *Cavaradossi* zeigt sich bei *Scarpias* Verhör wenig kooperativ, sodass er ihn mit seinen besten Mitarbeitern in die Folterkammer schickt. Auf dem Wege kommt er an *Tosca* vorbei, die der Einladung *Scarpias* gefolgt ist. Gerade noch kann er ihr einbläuen, dass sie nichts verraten soll. Daran hält sich *Tosca*, zumindest so lange, bis *Scarpia* die Tür der Folterkammer öffnen lässt.

Nach dem dritten Schmerzensschrei wird sie schwach und verrät *Angelottis* Versteck, woraufhin *Scarpia Cavaradossi* hereintragen lässt – ohnmächtig und blutig. Statt *Tosca* für die Befreiung zu danken, beschimpft er sie als Verräterin.

Viel Zeit für *Toscas* Empörung bleibt nicht; es kommen Boten herein, die verkünden, dass Napoleon nicht besiegt wurde, sondern gesiegt hat. Angesichts der Behandlung in jüngster Vergangenheit bricht *Cavaradossi* in begeisterte Viktoria-Rufe aus. Das endet mit einem Gang ins Gefängnis, den *Tosca* nicht verhindern kann.

Scarpia schlägt ihr einen Handel vor. Sollte sie seine Geliebte werden, kommt *Cavaradossi* frei. *Tosca* schüttelt sich vor Ekel, was *Scarpia* rasend vor Verlangen macht. Erst als die Trommeln den Weg zum Galgen ankündigen, gibt sie nach, unter folgender Bedingung: Ihr Geliebter soll sofort entlassen werden. Das geht nach *Scarpias* Meinung nicht sofort, denn der Schein muss gewahrt werden. Er befiehlt seinem treuen *Spoletta*, die Hinrichtung zum Schein zu veranstalten, genau wie bei Palmieri. *Tosca* ist immer noch nicht zufrieden. Sie verlangt noch einen Brief für freies Geleit aus der Stadt. Während *Scarpia* mit einem süffisanten Lächeln dieses Schreiben verfasst, entdeckt *Tosca* ein Messer auf seiner Tafel, mit dem sie ihn ersticht, als er sie mit ausgebreiteten Armen krallen will. Deutlich zeigt *Scarpia*, dass er damit nicht gerechnet hat.

Dritter Akt – *Tosca* lehrt *Cavaradossi* das theatralische Sterben; *Cavaradossi* stirbt lebensecht; *Tosca* zieht ihre Konsequenzen.

Atemlos kommt *Tosca* auf der Engelsburg an, auf der *Cavaradossi* ihr seinen Abschiedsbrief schreibt.

Freudig zeigt sie ihm den Freibrief für sich und einen männlichen Begleiter, erzählt ihm, dass er nur noch eine Hinrichtung zum Schein über sich ergehen lassen müsste, damit keiner einen Verdacht hegt. *Tosca*, die Theaterfachfrau, ist in ihrem Element. Sie lehrt *Cavaradossi*, wie er zu fallen hat, damit es echt aussieht und niemand Verdacht schöpft.

Caravadossi erledigt diese Aufgabe meisterhaft. Als das Erschießungskommando weg ist und er immer noch nicht aufsteht, nicht einmal durch ihr Rütteln, merkt sie, dass nicht sie die Regisseurin dieses Dramas war, sondern *Scarpia*. Jetzt kommt auch noch *Spoletta* mit der Botschaft, dass *Scarpia* ermordet wurde und sie als Mörderin sein Leben teuer bezahlen soll. Ehe sie gefangen genommen wird, rennt *Tosca* zur Brüstung der Engelsburg und stürzt sich in den Tod.

Begleitet vom dramatisch zugespitzten Schlussakkord des Orchesters.

Tosca mit Musik von Giacomo Puccini

Giuseppe Giacosa und Luigi Illica schrieben das Libretto nach dem Drama „La Tosca" (1887) von Victorien Sardou. Die Uraufführung fand am 14. Januar 1900 im Teatro Costanzi in Rom statt. Die Spieldauer beträgt circa 2 Stunden. Die Handlung spielt in Rom am 17. und 18. Juni 1800.

Personen: *Floria Tosca*, Opernsängerin (Sopran); *Mario Cavaradossi*, Maler (Tenor); *Baron Scarpia*, Polizeichef (Bariton); *Spoletta*, Gendarm (Tenor); *Sciarrone*, Gendarm (Bass); *Cesare Angelotti*, politischer Gefangener (Bass); *Mesner* (Bass); Schließer (Bass); ein Hirtenknabe (Knabenalt)

Tristan und Isolde – Richard Wagner

Lange galt die Oper als unaufführbar. Als endlich die Uraufführung nahte, schrieb Wagner an seine Muse Mathilde Wesendonck: „Ich fürchte, die Oper wird verboten. Nur mittelmässige Aufführungen können mich retten! Vollständig gute müssen die Leute verrückt machen.“

Die Vorgeschichte

Isolde, Prinzessin von Irland, wird von *Tristan* per Schiff nach Cornwall gebracht. Sie soll *Tristans* alten Onkel *Marke* heiraten, den König von Cornwall. Das ist für eine Prinzessin, die vorher mit einem tapferen Krieger verlobt war, schlimm genug. Noch schlimmer wiegt jedoch, dass ausgerechnet *Tristan* diese – für *Isolde* erniedrigende – Übergabe leitet. Die beiden kennen sich von früher, und das kam so:

Isoldes Verlobter Morold wurde nach Cornwall geschickt, um das Land zu unterwerfen. Statt mit Schätzen beladen, kam allerdings nur sein blutiger Kopf zurück. *Tristan* hat Morold zwar besiegt, aber einen vergifteten Splitter seines Schwertes zurückbehalten, der ihn unheilbar krank werden ließ. Wohl wissend, dass nur *Isolde* das Gegengift besaß und ihn freiwillig nicht heilen würde, verkleidete er sich als Spielmann Tantris. *Isolde* fand den Splitter und wollte dem Mörder ihres Verlobten vollends den Garaus machen. Da erwachte *Tristan* und sah *Isolde* an. Beide verliebten sich in dem berühmten Augen-Blick ineinander, was *Tristan* das Leben rettete.

Kaum gesund und zurück in Cornwall, schlug er seinem alten Onkel vor, *Isolde* zu heiraten, damit endlich Ruhe an der Front herrscht.

König Marke befiel bei dem Gedanken, eine junge Frau um sich zu haben, eine unerwartete Euphorie – typisch für einen Mann in den Wechseljahren. Er selbst mochte die beschwerliche Reise in seinem Alter nicht unternehmen und schickte deshalb *Tristan* als Brautwerber. Ausgerechnet *Tristan*!

Erster Akt – *Brangäne* ärgert sich über *Kurwenal*; *Tristan* und *Isolde* beschließen zu sterben.

Isolde wird auf das Schiff verfrachtet, hat während der Überfahrt genügend Zeit zum Nachdenken und ist sauer. Sie erzählt ihrer Vertrauten *Brangäne* von ihrem Großmut, den der undankbare *Tristan* ihr mit Verschachern vergilt. *Brangäne* soll sofort den Undankbaren herbeibefehlen. Die gute *Brangäne* macht sich auf den Weg zu *Kurwenal*, dem Vertrauten *Tristans*. Das artet zu einem Stellvertreterkrieg aus, denn *Kurwenal* verspottet *Isolde* als Magd des greisen *König Marke*. *Brangäne* kocht.

Als *Tristan* sich endlich mit schlechtem Gewissen zu *Isolde* begibt, erzählen sie sich noch einmal die Vorgeschichte – jeder aus seiner Sicht. Damit geht fast der ganze Akt vorüber. *Isolde* verlangt von *Tristan*, dass er als Buße für ihre Schmach den Giftbecher trinkt. *Tristan* nimmt die Strafe an und beginnt, den Becher zu lehren. *Isolde* sieht mit dem Tod des heimlich Geliebten in ihrem Leben keinen Sinn mehr und will auch sterben. Sie entreißt *Tristan* den halb geleerten Becher und trinkt ihn vollends aus. Beide taumeln.

Aber statt in der erwarteten Hölle sind sie im 7. Himmel gelandet. Die gute *Brangäne* verwechselte – entweder aus Unachtsamkeit oder aus Berechnung – den Todestrank mit dem Liebestrank. Und das genau zu dem Zeitpunkt, als sie in Cornwall ankommen.

Zweiter Akt – *Tristan* und *Isolde* im Liebesgeplänkel

Tristan und *Isolde* treffen sich heimlich im Garten und singen sich gegenseitig Liebeslieder vor – fast über den ganzen zweiten Akt. Am Ende werden sie von *König Marke* und seinem Vertrauten *Melot* überrascht. Beide bezichtigen *Tristan* des Treuebruchs, diesmal *König Marke* gegenüber. Das veranlasst *Tristan* zu einer Kurzschlusshandlung. Statt sich mit *Melot* zu duellieren, rennt er in dessen Schwert.

Dritter Akt – Tristans Monolog; *Isoldes* Liebestod; das große Sterben

Der schwer verwundete *Tristan* wird von *Kurwenal* auf seine Burg gebracht. In seinem Fieberwahn meint er, *Isoldes* Schiff zu sehen. Er erzählt der imaginären *Isolde* sein ganzes Leben. Danach stirbt er, und zwar in *Isoldes* Armen. Leider kam sie zu spät. Ebenfalls per Schiff kommen *König Marke*, *Melot* und *Brangäne*, die dem König gestand, dass sie den Liebestrank mit dem Todestrank verwechselte. *Marke* kommt, um *Tristan* und *Isolde* miteinander zu vermählen – zu spät. In einem Monolog, das als „Isoldes Liebestod" in die Musikgeschichte einging, stirbt auch *Isolde. Melot* und *Kurneval* haben noch ein Hühnchen miteinander zu rupfen und bringen sich gegenseitig um.

Zurück bleiben *König Marke* und *Brangäne*. Über deren weitere Zukunft ist nichts bekannt.

Tristan und Isolde – Oper der großen Dialoge – in drei Aufzügen mit Musik und Libretto von Richard Wagner.

Als Vorlage diente dem Komponisten der Versroman Tristan (um 1210) von Gottfried von Straßburg.

Im August 1859 vollendete Wagner das Werk. Es sollte ursprünglich in Rio de Janeiro, dann in Karlsruhe, dann in Paris und schließlich 1863 an der k. u. k. Hofoper in Wien, in Dresden beziehungsweise Weimar zur Uraufführung gelangen. Die Sänger waren der Partie nach langer Probenzeit entweder nicht gewachsen oder verloren die Stimme. Die Oper galt als unaufführbar. König Ludwig II. von Bayern ermöglichte seinem Idol Richard Wagner schließlich die Uraufführung am 10. Juni 1865 im Hoftheater München. Wenige Wochen nach der Uraufführung starb der Sänger des Tristan, Ludwig Schnorr von Carolsfeld, im Alter von 29 Jahren. Seine Frau Malvina Schnorr von Carolsfeld, die Sängerin der Isolde, wurde depressiv und betrat nie wieder eine Bühne. Den vielen nachfolgenden, nicht abergläubischen Musikern ist es zu verdanken, dass die Oper bis zum heutigen Tage auf den Spielplänen steht.

Personen: *Tristan* (Tenor); *König Marke* (Bass); *Isolde* (Sopran); *Kurwenal* (Bariton); *Melot* (Tenor); *Brangäne* (Sopran); Hirte (Tenor); Steuermann (Bariton); Seemann (Tenor)

Wozzeck – Alban Berg

Die Oper handelt von einem mittellosen Soldaten, der zwar Frau und Kind hat, aber nicht heiraten kann. Weil er zu arm ist, um eine Familie zu ernähren, lässt er sich auf medizinische Experimente ein. Statt des erhofften Geldes bescheren sie ihm geistige Verwirrtheit und Wahnvorstellungen.

Erster Akt – *Wozzek* bemüht sich, Geld für seine Familie zu verdienen.

Zimmer des Hauptmanns. Frühmorgens.

Wozzeck rasiert den Hauptmann, der ihn zum langsamen Arbeiten mahnt. Ihm geht alles zu schnell. Außerdem stört ihn, dass *Wozzeck* zwar Frau und Kind hat, aber nicht verheiratet ist. *Wozzeck* gibt dafür finanzielle Gründe an, denn als armer Mann kann er sich keine Hochzeit leisten. Das rührt den Hauptmann so sehr, dass er sich sogar zu einem Trinkgeld herablässt.

Freies Feld. Spätnachmittags.

Wozzeck und sein Freund *Andres* arbeiten auf dem Feld. *Wozzeck* hört Stimmen, sieht Feuer und erleidet Todesängste. *Andres* erklärt es mit Wind und Tieren. Er singt lustige Lieder, schafft es aber nicht, *Wozzeck* zu beruhigen. *Andres* mag nicht zugeben, dass er ebenso viel Angst hat wie *Wozzeck*.

Mariens Stube. Abends.

Marie schaut auf die Soldaten, die an ihrem Fenster vorbeimarschieren. Besonders der schmucke *Tambourmajor* hat es ihr angetan.

Das missfällt der *Nachbarin*. In deren Augen hat eine Frau mit einem Kind – aber ohne Ehe(mann) – keinen Anspruch darauf, von anderen Männern begehrt zu werden.

Marie wendet sich ihrem Kind zu und singt ihm ein Schlaflied. *Wozzeck* kommt, erzählt ihr von seinen Erlebnissen im Feld und geht wieder fort, ohne das Kind angesehen zu haben. *Marie* hat das Gefühl, dass er Gespenster sieht und fürchtet sich vor ihm und vor der Zukunft.

Studierstube des Doktors. Sonniger Nachmittag.

Der *Doktor* benutzt *Wozzeck*, um an ihm Experimente durchzuführen, die ihn in der Fachwelt unsterblich machen sollen. Er möchte in der Wissenschaft anerkannt werden. *Wozzeck* soll eine Zeit lang nur Bohnen essen, dann nur Schöpsenfleisch. *Wozzeck* wird nur deshalb so willig zum Versuchsobjekt, weil der *Doktor* ihn bezahlt. Für jedes Widernatürliche bekommt er eine Extraprämie. Als *Wozzeck* dem Doktor von seinen Ängsten, Stimmen und dem Feuer erzählt, gerät der Doktor außer sich vor Freude. Er entdeckt bei *Wozzeck* typische Symptome einer Geisteskrankheit.

Straße vor Mariens Tür. Abenddämmerung.

Marie bekommt Besuch vom *Tambourmajor.* Er ist das genaue Gegenteil ihres farblosen Mannes, jung, sorglos, erotisch.

Zwar wehrt sich *Marie* noch gegen die Annäherungsversuche des feurigen Liebhabers, dann aber sind ihre weiblichen Bedürfnisse größer als ihre Bedenken.

Zweiter Akt – Marie und der Tambourmajor

Mariens Stube. Vormittag, Sonnenschein

Marie bewundert verzückt die glänzenden Ohrringe, die ihr der *Tambourmajor* geschenkt hat. Dabei schaut ihr das *Kind* zu, das immer wieder aufwacht. Das irritiert *Marie*. Sie bekämpft ihr schlechtes Gewissen, indem sie dem *Kind* Schauermärchen erzählt.

Als *Wozzeck* kommt, kann sie die Ohrringe nicht schnell genug verstecken. *Wozzeck* bemerkt den Schmuck und schöpft Verdacht. Er verschwindet aber gleich wieder, nachdem er *Marie* wie gewohnt seinen Sold und die Extraprämie vom *Doktor* in die Hand gezählt hat. *Marie* bleibt mit schlechtem Gewissen zurück.

Straße in der Stadt. Tag.

Der *Hauptmann* macht sich einen Spaß daraus, den *Doktor* aufzuhalten, der mal wieder zu einem Todeskandidaten gerufen wird. Der *Doktor* reagiert sauer. Er stellt dem *Hauptmann* aufgrund seines Aussehens eine Diagnose, die ihm in den nächsten vier Wochen bösartige Erkrankungen voraussagen. Jetzt vergeht dem *Hauptmann* das Lachen. Als *Wozzeck* kommt, haben beide ein anderes Opfer. Sie spielen auf *Maries* Untreue an. Langsam begreift *Wozzeck* den Zusammenhang mit den Ohrringen.

Straße vor Mariens Wohnungstür. Trüber Tag.

Wozzeck fragt *Marie* über den *Tambourmajor* aus. *Marie* antwortet nicht direkt, sondern verallgemeinert. Als *Wozzeck* mit erhobener Hand auf sie zugeht, sieht sie ihn mutig an: „Lieber ein Messer in den Leib, als eine Hand auf mich." *Woyzeck* ist perplex – *Marie* nutzt diesen Überraschungseffekt zum Abgang.

Wirtshausgarten. Spätabends.

Auf einem Fest tanzen *Marie* und der *Tambourmajor*, während *Wozzeck* abseits sitzt, die beiden anstarrt und sich betrinkt. Ebenfalls betrunken sind die Zecher um ihn herum, die immer tiefgründigere Gespräche führen wollen. *Wozzeck* sieht wieder Gespenster. Aus diesem Tief kann ihn auch sein Freund *Andres* nicht heraufholen. Lediglich der *Narr* versteht sich mit *Wozzeck*, dem er ein blutiges Ende voraussagt.

Wachstube in der Kaserne. Nachts.

Wozzeck liegt mit anderen Soldaten in der Kaserne im Schlafsaal. Immer wieder sieht er die vergangenen Bilder vor sich und dazwischen ein Messer und Blut. Der *Tambourmajor* kommt betrunken herein und prahlt damit, dass er mit einer Frau zusammen war für die „Zucht von Tambourmajors". Er reizt *Wozzeck*, bis der sich mit ihm prügelt. Nachdem er *Wozzeck* besiegt hat, geht er mit stolz erhobener Brust aus dem Schlafsaal. *Wozzeck* starrt vor sich hin.

Dritter Akt – Mord an Marie und die Folgen

Mariens Stube. Es ist Nacht.

Marie sitzt mit ihrem Kind in der Stube. Sie liest in der Bibel und schlägt die Stellen auf, in denen Jesus den Frauen vergibt.

Ihr *Kind* weist sie abwechselnd ab und zieht es wieder zu sich heran. Sie leidet unter ihrem „Fehltritt". Auch dass *Wozzeck* sich tagelang nicht mehr blicken ließ, macht sie nervös.

Waldweg am Teich. Es dunkelt.

Wozzeck führt *Marie* zu einer Aussprache an den Teich. *Marie* wird es unheimlich, sie will nach Hause. *Wozzeck* holt ein Messer heraus und ersticht *Marie*.

Eine Schenke. Nacht.

Wozzeck findet im Wirtshaus einen Platz, an dem er sich volllaufen lässt. In diesem Zustand bändelt er mit *Margret* an, die aber sofort erkennt, dass Blut an seinen Händen und Armen haftet. Alle anderen sehen es auch – *Wozzeck* flieht.

Waldweg am Teich. Mondnacht.

Wozzeck kehrt zum Teich zurück, sucht und findet das Messer, mit dem er Marie erstochen hat. Er versucht sich zu waschen, geht immer weiter in den Teich hinein, denn er sieht sich im Blut schwimmen. Der Doktor und der Hauptmann kommen vorbei und hören ein Rufen und Stöhnen. Der Doktor stellt lediglich lakonisch fest, dass anscheinend gerade ein Mensch stirbt. Da es sie nichts angeht, setzen sie ihren Spaziergang fort.

Vor Mariens Haustür. Heller Morgen. Sonnenschein.

Der Sohn von *Wozzeck* und *Marie* spielt mit Kindern auf der Straße. Andere Kinder kommen hinzu und erzählen ihm, dass seine Mutter tot am Teich liegt. Die neugierigen Kinder rennen fort, um sich die Leiche anzuschauen. *Wozzecks* Sohn bleibt allein zurück.

Wozzeck - Alban Berg komponierte die Oper in drei Akten nach dem Dramenfragment „Woyzeck" von Georg Büchner. Ein historischer Stoff, denn die Handlung spielt in einer Garnisonsstadt um 1820, also hundert Jahre, bevor Alban Berg die Oper komponierte. Die Uraufführung fand am 14. Dezember 1925 in Berlin unter Erich Kleiber statt. Die Spieldauer beträgt circa 105 Minuten. Das Drama spielt an aufeinanderfolgenden Tagen zu verschiedenen Zeiten in unterschiedlichen Räumen – draußen wie drinnen. Häufiger Szenenwechsel in der Oper verführt Regisseure und Bühnenbildner zu fantasievollen Inszenierungen.

Personen und ihre Stimmen: *Wozzeck* (Bariton); *Marie* (Sopran); *Mariens Knabe* (Knabensopran); *Hauptmann* (Tenor); *Doktor* (Bass); *Tambourmajor* (Tenor); *Andres* (Tenor); *Margret* (Alt);

1. Handwerksbursche (Bass); 2. Handwerksbursche (Bariton); *Narr*

(Tenor); *ein Soldat* (Bariton); *Soldaten, Burschen, Mägde, Dirnen, Kinder*

Wunderzaichen – Mark André

Die Oper handelt von zwei Gestalten aus der Bibel - Johannes und Maria - die als Untote bis in die Gegenwart durch Zeit und Raum geistern.

1. Situation – Passkontrolle

Im Flughafen Ben Gurion kontrollieren *zwei Beamtinnen* die Pässe der Reisenden. Als *Johannes* an die Reihe kommt, weiß er auf ihre obligatorischen Fragen keine konkreten Antworten. Er kennt seinen Namen nicht und weiß nicht einmal, wer er ist, denn vor zehn Jahren wurde ihm ein neues Herz eingepflanzt. Wegen seines verwirrten Zustandes – gepaart mit übergroßem Mitteilungsbedürfnis – nehmen sie ihn mit auf die Wache.

2. Situation – Polizeirevier

Auf dem Polizeirevier befindet sich neben einem Polizeibeamten eine hebräisch sprechende Frau. Der *Polizist* brüstet sich mit seinen Verhörtechniken – aber in diesem Fall nützt es nichts. Egal, wie scharf seine Fragen auch sind, *Johannes* antwortet nur in Zitaten – aus der Bibel bis hin zu Philosophen der Gegenwart – Lebensweisheiten über das Leben und die Liebe im Allgemeinen und Leid und Tod im Besonderen. *Maria* spricht ebenfalls in abgehackten Sätzen, ohne auf die Fragen einzugehen.

Die Beamten erfahren trotz ihrer Hilfestellungen nichts über ihre Aufenthalte oder Ziel der Reise – also: Einreise verweigert.

3. Situation – Fast-Food-Restaurant

Johannes und *Maria* kommen in ein Fast-Food-Restaurant, in dem schon die *beiden Beamtinnen* und der *Polizist* warten. Sie singen die Speisekarte vor, von Hummus bi Tahina über vegetarische Maultaschen bis Gaisburger Marsch, also schwäbisch mit internationalen Einflüssen. Der *Polizist* hält für alle Gerichte die Bestellnummer parat – immer korrekt.

Als *Johannes* die Frau nach ihrem Namen fragt, nennen die Beamten im Hintergrund eine lange Latte weiblicher Vornamen zur Auswahl. Kein Name trifft zu, denn sie heißt schlicht und einfach *Maria*. *Johannes* erleidet einen Herzinfarkt und stirbt. Die Beamten schicken ihn zu diversen Sternen und rechnen vor, wie viele Lichtjahre es dauert, bis er angekommen sein wird.

4. Situation – Warteraum

Wie in der ersten Situation kontrollieren die *Beamtinnen* die Namen der Passagiere. *Johannes* schwebt als Untoter durch den Raum. Und er bleibt sich treu. Er zitiert kluge Gedanken von Dichtern, Denkern und aus der Bibel. Er sucht und findet *Maria*, die ihn nicht sieht. Sie ist mit ihren eigenen Gedankensplittern beschäftigt. Ein *Erzengel*, vorher *Polizist*, macht sich Gedanken über den Begriff Engel.
Johannes, *Erzengel*, *Beamtinnen*, *Maria* und die Stimme aus dem Off reden/singen nicht gleichzeitig. Sie kommunizieren nicht miteinander, sondern jeder für sich, jeweils in der Redepause der anderen. Am Schluss wird *Johannes* einige Male aufgerufen, sich zu seiner Maschine zu begeben. Die letzten Worte von *Maria*, *Beamtinnen* und Bühnenchor: „En Sof“ (ohne Ende).

Wunderzaichen – Oper mit Musik von **Mark André** in 4 Situationen, Libretto von Mark André und Patrick Hahn. Die Uraufführung fand am 2. März 2014 in der Oper Stuttgart statt. Die Spieldauer beträgt 120 Minuten. Ein Auftragswerk der Oper Stuttgart in Koproduktion mit dem Experimentalstudio des SWR.

Die Handlung spielt in der Jetztzeit im Flughafen Ben Gurion in Israel.

Besetzung: *Johannes* (Sprechrolle); *Polizist/Erzengel* (Tenor); *Maria* (hoher Sopran); *zwei Beamtinnen* (Mezzosopran); Bühnenchor (großer, gemischter Chor mit Bassbögen); Instrumentalsolisten (Bläser); Koch-Engel (Schlagzeuger); Vokal-Ensemble (24-stimmig mit Alufolie und Windrädchen); Zuspielungen/Live-Elektronik; Orchester

Und die Musik?

Tja.

Mark André begeistert das, was jeder Oper- und Konzertbesucher fürchtet. Schnaufen, (Bonbon-)Papierrascheln, klopfen, räuspern, husten, flüstern, also Alltagsgeräusche. Alle Musiker kennen Töne, die sie am Liebsten nicht gespielt hätten, zum Beispiel Wolfstöne. (Speziell bei Streichinstrumenten gibt es Töne, die bei einer bestimmten Eigenfrequenz ihre Energie an benachbarte Töne abgeben. Der Spieler kann den Klang nicht mehr kontrollieren. Der Ton fängt an zu bullern.) Oder wenn der Bogen, statt auf den Saiten, auf dem Holz landet oder zu stark gedrückt wird, dass nur noch ein Quietschen oder Kratzen zu hören ist.

All diese Geräusche übersetzt Mark André in Notenschrift. Mit menschlichen Stimmen oder auf Instrumenten lässt er sie nachspielen, wie in der → **4. Situation im „Warteraum“**. Langeweile macht sich breit unter den Wartenden, die lesen, schlafen, sich räkeln. Unterstrichen wird das von der Musik, die sich ständig wiederholt. Der Chor stöhnt, haucht, flüstert, raschelt mit Papier und bläst auf kleine Windräder. Im Zuschauerraum und in den Logen üben sich Schlagzeuger in leisen Tönen. Alle sichtbaren Instrumente haben ihren natürlichen/gewohnten Klang verweigert.

Eine Oper einmal nur mit Musik aus Geräuschen – das ist etwas Besonderes, das sich niemand entgehen lassen sollte.

Der Opernführer geht hervor aus dem Kulturmagazin 8ung.info

Dieser Opernführer behandelt das Zweitwichtigste einer Oper – die Handlung.

Keine Oper ohne Musik, denn sie zeigt die Emotionen, treibt die Handlung voran und kommentiert sie.

Keine Oper ohne Handlung, denn sie läuft in der Geschwindigkeit und Emotionalität ab, wie die Musik es vorschreibt.

Seit über vierzig Jahren besucht Dorle Knapp-Klatsch Opern in Hamburg, Hannover, Bonn, Mannheim, Würzburg, Karlsruhe, Bayreuth und in den letzten Jahrzehnten die Staatsoper Stuttgart, ihre „Hausoper“.

Seit 2009 schreibt sie über Opernaufführungen. Ausschlaggebend war der Frust aufgrund einer total daneben gegangenen Aida-Inszenierung. In den letzten Jahren berichtet sie jedoch nur noch über das, was ihren Beifall findet, denn Negatives macht viel Arbeit – Positives läuft flott aus der Feder.

Mit Vergnügen verfasst sie Kurzgeschichten von Operninhalten, damit schon Opernneulinge die Handlung verfolgen können.

Die 3 vom Kulturmagazin 8ung.info

Dorle Knapp-Klatsch

Die, die sich um die schönen Seiten des Lebens kümmert, und darüber schreibt. Ihr Herz schlägt für – ach was, sie ist das Herz von 8ung.info. Sie hat an sich den Anspruch, zu wissen, worüber sie schreibt. Daher liest sie sämtliche Bücher, besucht all die Opern, Ballette, Filme und Ausstellungen, über die sie ihre Eindrücke und Denkanstöße abgibt. Flüsternde Ablenkung samt Hinweisen mag sie dabei nicht, daher ist sie am liebsten allein unterwegs, um die fesselnden kulturellen Angebote zu entdecken. Ganz nach dem Motto: Nur eine gute Empfehlung ist eine echte Empfehlung.

Elke Wilkenstein

Die, die sich um die wichtigen Dinge des Lebens kümmert, und darüber schreibt. Natur, Familie, Lifestyle sind genau ihre Themen. Das alles ohne Schickimicki. Hier steht die Natur im Mittelpunkt. Und alle Tipps zur Gartenpflege und Pflanzenzucht sind selbstverständlich ausprobiert und für gut befunden. In einem anderen Zeitalter wäre sie wahrscheinlich Kräuterhexe. Fernab von der Globulidebatte, bewahrt sie das Wissen um die geheimen Superkräfte der Heilpflanzen. Ohne ihre Kamera geht sie nirgendwo hin.

Gesine Bodenteich

Die, die sich um Frauen, Emanzipation und die spöttische Seite des Lebens kümmert, und darüber schreibt. Gleichberechtigung oder Ungleichbehandlung, für eines brennt sie, gegen das andere kämpft sie. Mit spitzer Zunge und treffender Wortwahl, liefert sie ihre Glossen und Schmähschriften ab. In ihren Beiträgen werden die Anliegen der Frauen auf den Punkt gebracht. Informativ, kontrovers und doch lösungsorientiert, schreibt sie über das, was engagierte Frauen beschäftigt. Sie lässt sich nicht verbiegen, sucht gern die Diskussion und verzweifelt an männlicher Dummheit.

Lightning Source UK Ltd.
Milton Keynes UK
UKHW010708270223
417728UK00001B/245

9 783756 890927